Diogenes T

Paulo Coelho

Auf dem Jakobsweg

*Tagebuch
einer Pilgerreise
nach Santiago de
Compostela*

*Aus dem
Brasilianischen von
Maralde Meyer-
Minnemann*

Diogenes

Titel der 1987 bei Editora Rocco Ltda.,
Rio de Janeiro, erschienenen Originalausgabe:
›O Diario De Um Mago‹
Copyright © 1987 by Paulo Coelho
Mit freundlicher Genehmigung von
Sant Jordi Asociados, Barcelona, Spanien
Alle Rechte vorbehalten
Paulo Coelho: www.paulocoelho.com.br
Die deutsche Erstausgabe erschien 1991 unter
dem Titel ›Die heiligen Geheimnisse eines Magiers‹
Die hier vorliegende Neuübersetzung
erschien erstmals 1999 im
Diogenes Verlag
Abdruck der Europakarte S. 268/269 aus:
›Santiago. L'Europa del Pellegrinaggio‹
Copyright © 1993 Editoriale Jaca Book, Milano,
und Lunwerg Ediciones, Barcelona
Für die deutsche Ausgabe:
Weltbild Verlag, Augsburg 1993
Umschlagfoto:
Copyright © Jacques Sierpinski/DIAF, Paris

Sie sprachen aber: Herr,
sieh, hier sind zwei Schwerter.
Er aber sprach zu ihnen:
Es ist genug.

Lukas, 22:38

Inhalt

Vorwort

Als ich vor zehn Jahren in ein kleines Haus in Saint-Jean-Pied-de-Port trat, war ich sicher, daß ich nur meine Zeit vergeudete. Damals war meine spirituelle Suche mit der Vorstellung verbunden, daß es Geheimnisse, mysteriöse Wege und Menschen gab, die fähig waren, Dinge zu verstehen und zu kontrollieren, die den meisten Sterblichen versagt waren. Daher erschien mir der Gedanke reizlos, den ›Weg der gewöhnlichen Menschen‹ zu gehen.

Viele aus meiner Generation – und auch ich zähle mich dazu – sind von Geheimnissen und Geheimgesellschaften fasziniert und gaukeln sich vor, daß nur was schwierig und kompliziert ist, uns am Ende das Mysterium des Lebens begreifen läßt. 1974 habe ich diesen Aberglauben teuer bezahlt. Dennoch hat sich, nachdem die Angst verflogen war, die Faszination für das Okkulte einen Platz in meinem Leben erobert. Als mein Meister mir vom Jakobsweg erzählte, erschien mir daher diese Pilgerreise nur mühsam und nutzlos. Ich habe sogar mit dem Gedanken gespielt, die R.A.M. zu verlassen, diese kleine, unbedeutende Bruderschaft, die aus der mündlichen Weitergabe der symbolischen Sprache entstanden war.

Als mich schließlich äußere Umstände dazu brachten, zu tun, was mein Meister von mir verlangte, beschloß ich, daß ich es auf meine Weise tun würde. Am Anfang der Pilger-reise versuchte ich, aus Petrus, meinem Führer, den india-nischen Medizinmann Don Juan zu machen, die Figur, auf die der Schriftsteller Carlos Castañeda zurückgreift, um seine Berührung mit dem Außergewöhnlichen zu erklären. Ich glaubte, daß ich mit ein wenig Phantasie die Pilgerwan-derung auf dem Jakobsweg zu einer angenehmen Erfahrung und das, was enthüllt werden würde, zu etwas Okkultem, das Einfache zu etwas Komplexem, das Strahlende zu etwas Mysteriösem machen könnte.

Doch Petrus hat allen meinen Versuchen widerstanden, ihn zu einem Helden zu stilisieren. Das hat unsere Bezie-hung sehr belastet, und wir haben uns schließlich getrennt, weil wir beide fühlten, daß diese Nähe uns nirgendwohin führte.

Es mußte nach dieser Trennung erst geraume Zeit ver-gehen, bis ich begriff, was diese Erfahrung mir gebracht hatte. Sie gehört heute zu meinem kostbarsten Besitz: Das Außergewöhnliche findet sich auf dem Weg der gewöhn-lichen Menschen. Sie erlaubt mir, alle Gefahren auf mich zu nehmen, um dem auf den Grund zu gehen, an das ich glaube. Sie hat mir den Mut verliehen, mein erstes Buch zu schreiben, *Auf dem Jakobsweg*. Sie hat mir die Kraft gege-ben, dafür zu kämpfen, auch wenn mir immer wieder gesagt wurde, daß es unmöglich für einen Brasilianer sei, allein von der Literatur zu leben. Sie hat mir geholfen, würdig und beharrlich den guten Kampf zu führen, den ich tagtäglich mit mir selber austragen muß, wenn ich weiterhin den ›Weg der gewöhnlichen Menschen‹ gehe.

Ich habe meinen Führer nie wiedergesehen. Als das Buch

in Brasilien herauskam, versuchte ich, Kontakt zu ihm aufzunehmen, doch er hat nicht geantwortet. Als die englische
Übersetzung erschien, freute mich der Gedanke, daß er
nun endlich meine Version dessen lesen könnte, was wir gemeinsam erlebt hatten. Ich habe wieder versucht, ihn zu
erreichen, doch er hatte inzwischen eine neue Telefon-
nummer.

Zehn Jahre später wurde *Auf dem Jakobsweg* in dem
Land veröffentlicht, in dem ich meine Reise angetreten
hatte, war ich Petrus doch auf französischem Boden zuerst
begegnet. Ich hoffe, ihn eines Tages zu treffen, um ihm
sagen zu können: »Danke, ich widme dir dies Buch.«

Paulo Coelho

Prolog

Und mögest du im heiligen Angesicht der R.A.M. das Wort des Lebens mit deinen Händen berühren und so viel Kraft daraus gewinnen, daß du bis ans Ende der Welt Zeugnis dafür ablegst.«

Der Meister hielt mein neues Schwert erhoben, ohne es aus der Scheide zu ziehen. Die Flammen knisterten in der Feuerstelle. Dies war ein gutes Vorzeichen, denn es bedeutete, daß mit dem Ritual fortgefahren werden sollte. Da kniete ich nieder und begann mit nackten Händen in die Erde vor mir eine Vertiefung zu graben.

Es war in der Nacht des 2. Februar 1986, und wir befanden uns auf dem Gipfel des Gebirges Serra do Mar in der Nähe einer Felsformation mit dem Namen Agulhas Negras/Schwarze Nadeln. Außer meinem Meister und mir waren noch meine Frau, einer meiner Schüler, ein Bergführer aus dem Ort und ein Vertreter der großen, unter dem Namen ›Tradition‹ bekannten Bruderschaft anwesend. Alle fünf, auch der Bergführer, der zuvor von dem in Kenntnis gesetzt worden war, was hier geschehen sollte, nahmen an meiner Ordination als Meister des R.A.M.-Ordens teil, einer alten christlichen, im Jahre 1492 gegründeten Bruderschaft.

Ich hatte eine lange, flache Kuhle in die Erde gegraben.

Während ich die Worte des Rituals sprach, schlug ich feierlich mit den Händen auf die Erde. Dann trat meine Frau zu mir. Sie überreichte mir das Schwert, dessen ich mich über zehn Jahre lang bedient hatte und das in dieser Zeit mein Helfer gewesen war. Ich legte das Schwert in die Kuhle, bedeckte es mit Erde und klopfte sie fest. Dabei stieg die Erinnerung an die Prüfungen, die ich durchlaufen hatte, an die Dinge, die ich gelernt hatte, und an die Phänomene in mir auf, die ich hervorzurufen imstande war, denn damals hatte ich stets dieses uralte Schwert, meinen großen Freund, bei mir gehabt. Nun würde die Erde es verschlingen, das Eisen seiner Klinge und das Holz seines Griffes würden den Ort wieder nähren, aus dem es soviel Macht geschöpft hatte.

Der Meister trat auf mich zu und legte mein neues Schwert vor mich auf die Stelle, an der ich das alte vergraben hatte. Da breiteten alle ihre Arme aus, und der Meister ließ um uns ein seltsames Licht entstehen, das zwar keine Helligkeit spendete, jedoch unsere Umrisse in eine andere Farbe als den gelben Schein tauchte, der vom Feuer ausging. Dann zog der Meister sein eigenes Schwert aus der Scheide und berührte damit meine Schultern und meinen Kopf und sagte:

»Aus der Macht und der Liebe der R.A.M. heraus ernenne ich dich zum Meister und Ritter des Ordens, heute und für alle Tage bis an dein Lebensende. R steht für *Rigor*, die Strenge, A steht für *Amor*, die Liebe, M steht für *Misericordia*, die Barmherzigkeit, R steht für *Regnum*, das Reich, A steht für *Agnus*, das Lamm, M steht für *Mundus*, die Welt. Wenn das Schwert dein ist, laß es nie lange in seiner

Scheide, denn es könnte rosten. Doch wenn es seine Scheide verläßt, soll es niemals dorthin zurückkehren, ohne zuvor Gutes getan oder einen Weg gebahnt zu haben.«

Mit der Spitze seines Schwertes hatte er mich am Kopf leicht verletzt. Nun mußte ich nicht mehr schweigen. Ich mußte nunmehr weder verstecken, wozu ich fähig war, noch die Wunder verbergen, die ich auf dem Weg der ›Tradition‹ zu vollbringen gelernt hatte. Von diesem Augenblick an war ich ein Mitbruder.

Ich hielt meine Hand ausgestreckt, um mein neues Schwert mit seinem schwarzroten Griff und seiner schwarzen Scheide zu ergreifen, das aus dem unzerstörbaren Stahl und aus dem Holz gemacht war, von denen die Erde sich nicht genährt hatte. Doch als ich das Schwert an mich nehmen wollte und ich die Scheide berührte, machte der Meister einen Schritt nach vorn und trat mir so heftig auf die Finger, daß ich vor Schmerz aufschrie und meine Hände zurückzog.

Ich sah ihn an und wußte nicht, was ich davon halten sollte.

Das seltsame Licht war verschwunden, und die Flammen ließen sein Gesicht wie eine Geistererscheinung wirken.

Er warf mir einen kalten Blick zu, rief meine Frau zu sich heran und übergab ihr das neue Schwert. Dann wandte er sich mit den folgenden Worten an mich:

»Zieh deine Hand zurück, denn sie klagt dich an! Der Weg der ›Tradition‹ ist nicht der Weg weniger Erwählter, sondern der Weg aller Menschen! Und die Macht, die du zu besitzen glaubst, wird wertlos, wenn du sie nicht mit anderen Menschen teilst! Du hättest das neue Schwert verwei-

gern sollen. Wäre dein Herz rein gewesen, hättest du es erhalten. Doch wie ich schon befürchtet hatte, bist du im entscheidenden Augenblick gestrauchelt und gefallen. Wegen
deiner Begehrlichkeit mußt du dich nun erneut auf die Suche nach deinem Schwert begeben. Wegen deines Hoch-
muts mußt du es nun unter den einfachen Menschen suchen.
Und wegen deiner Verblendung durch die Wunder wirst du
jetzt hart kämpfen müssen, um das wiederzuerlangen, was
dir großzügig gegeben worden wäre.«

Mir war, als würde mir der Boden unter den Füßen weg-
gezogen. Ich kniete noch immer da, sprachlos. Jetzt, wo ich
mein altes Schwert der Erde übergeben hatte, konnte ich es
nicht mehr zurückbekommen. Und da mir das neue verweigert worden war, stand ich nun wieder da wie am Anfang, macht- und schutzlos. Der Tag meiner himmlischen
Weihe, die Gewalttätigkeit meines Meisters, der mir die
Finger zertreten hatte, schickte mich zurück in die Welt des
Hasses und der Erde.

Der Bergführer löschte das Feuer, und meine Frau kam
zu mir, um mir beim Aufstehen zu helfen. Sie trug nun mein
neues Schwert; nach den Regeln der ›Tradition‹ durfte ich es
ohne Erlaubnis meines Meisters nicht berühren. Wir gingen
hinter der Laterne unseres Bergführers schweigend durch
den Wald hinunter und gelangten schließlich zu dem Tram-
pelpfad, an dem die Wagen geparkt waren.

Niemand hat sich von mir verabschiedet. Meine Frau
legte das Schwert in den Kofferraum und warf den Motor
an. Wir schwiegen eine geraume Weile, während sie langsam fuhr, um den Schlaglöchern und Buckeln auf dem Weg
auszuweichen.

»Mach dir keine Sorgen«, sagte sie, um mir ein wenig Mut zu machen. »Ich bin sicher, daß du es wiederfinden wirst.«

Ich fragte sie, was der Meister zu ihr gesagt habe.

»Drei Dinge. Erstens, daß er etwas Warmes zum Anziehen hätte mitnehmen sollen, da es dort oben kälter war als vorgesehen. Zweitens, daß ihn dies alles nicht überrascht habe, weil es auch anderen schon passiert sei, die genausoweit gekommen waren wie du. Und drittens, daß dein Schwert dich an einer Stelle des Weges, den du gehen mußt, erwarten werde. Ich weiß weder das Datum noch die Stunde. Er hat mir nur den Ort genannt, an dem ich es verstecken soll, damit du es findest.«

»Und welcher Weg ist das?« fragte ich gereizt.

»Ach, das hat er nicht so genau gesagt. Er hat nur gesagt, daß du auf der Landkarte von Spanien einen Weg aus dem Mittelalter suchen sollst mit dem merkwürdigen Namen Jakobsweg.«

GOLF VON BISCAYA

LA CORUÑA

SANTIAGO DE
COMPOSTELA
PALAS DO REI
OVIEDO

CEBREIRO
VILLAFRANCA
DEL BIERZO
PONFERRADA
CARRIÓN
DE LOS
CONDES
BURG

ASTORGA
LEÓN
CASTROJERI

VALLADO

ZAMORA

SALAMANCA

PORTUGAL

SPANIEN

DER WEG NACH

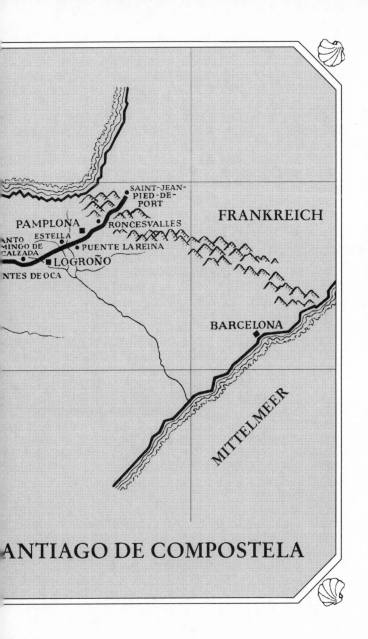

Die Ankunft

Der Zöllner schaute lange auf das Schwert, das meine Frau trug, und fragte uns, was wir damit vorhätten. Ich antwortete ihm, daß ein Freund von uns eine Expertise dafür erstellen sollte, bevor wir es zur Versteigerung freigaben. Die Lüge zog. Der Zöllner bescheinigte uns, daß wir mit dem Schwert auf dem Flughafen von Barajas eingereist seien, und wies uns an, das Dokument beim Zoll vorzulegen, falls es bei der Ausreise Schwierigkeiten gäbe.

Wir gingen dann zum Schalter der Autovermietungsfirma, um uns die Reservierung für zwei Wagen bestätigen zu lassen, nahmen die Tickets an uns und suchten dann eines der Flughafenrestaurants auf, um noch eine Kleinigkeit zu essen, bevor wir uns trennten.

Ich hatte im Flugzeug die ganze Nacht kein Auge zubekommen. Zum einen, weil ich Flugangst habe, zum anderen aus Furcht vor dem, was kommen würde. Trotzdem war ich aufgeregt und hellwach.

»Nimm es nicht so schwer«, sagte meine Frau zum x-ten Mal. »Du sollst nach Frankreich fahren und dort in Saint-Jean-Pied-de-Port eine Madame Savin aufsuchen. Sie wird dich mit jemandem zusammenbringen, der dich auf dem Jakobsweg führen wird.«

»Und du?« fragte ich sie, auch zum x-ten Mal.

»Ich werde dorthin fahren, wohin ich geschickt werde, um das wieder zurückzubringen, was mir anvertraut wurde. Anschließend bleibe ich ein paar Tage in Madrid und fliege dann zurück nach Brasilien. Ich kann unsere Angelegenheiten genausogut regeln wie du.«

»Ja, ja, ich weiß«, antwortete ich kurz angebunden, denn ich hatte keine Lust, darüber zu reden.

Der Gedanke an die Arbeit, die in Brasilien erledigt werden mußte, bedrückte mich sehr. Zwei Wochen nach dem Ereignis bei den Schwarzen Nadeln hatte ich das Wichtigste über den Jakobsweg gelernt, doch dann brauchte ich noch sieben Monate, bis ich mich entscheiden konnte, alles zurückzulassen und die Reise anzutreten. Eines Morgens verkündete mir meine Frau, der Zeitpunkt sei nun gekommen, eine Entscheidung zu treffen, denn sonst könnte ich den Weg der Magie und der Bruderschaft und des R.A.M.-Ordens ein für allemal vergessen. Ich versuchte ihr zu beweisen, daß der Meister mir eine unlösbare Aufgabe gestellt hatte, weil ich mich nicht einfach aus der Verantwortung für meine alltägliche Arbeit stehlen könne. Sie lachte und entgegnete, daß dies keine gute Entschuldigung sei, denn während der vergangenen sieben Monate hätte ich nichts Rechtes zuwege gebracht und Tag und Nacht nur damit vertan, mich zu fragen, ob ich nun die Reise machen sollte oder nicht. Und als wäre es das Selbstverständlichste der Welt, reichte sie mir zwei Tickets, auf denen das Flugdatum stand.

»Daß wir jetzt hier sind, verdanken wir deiner Entscheidung«, meinte ich in der Flughafencafeteria. »Ich weiß nicht, ob es richtig war, jemand anderen entscheiden zu lassen, ob ich mein Schwert suchen soll oder nicht.«

Meine Frau antwortete mir, es sei wohl besser, gleich unsere Autos zu besteigen und sich zu verabschieden, bevor wir anfingen, uns weiterhin gegenseitig irgendwelchen Unsinn zu erzählen.

»Du würdest niemals zulassen, daß jemand anderes auch nur die kleinste Entscheidung in deinem Leben trifft. Nun komm, es ist schon spät.«

Sie nahm ihr Gepäck und ging zum Schalter der Autovermietung. Ich blieb sitzen und beobachtete, wie nachlässig sie mein Schwert trug, das ihr jeden Augenblick unter dem Arm hervorzurutschen drohte.

Auf halbem Wege blieb sie stehen, kam dann an den Tisch zurück, an dem ich saß, küßte mich geräuschvoll auf den Mund und blickte mich lange wortlos an. Mir wurde mit einem Mal bewußt, wie groß die Gefahr eines Scheiterns war. Doch nun hatte ich den ersten Schritt getan und konnte nicht mehr zurück. Ich umarmte sie liebevoll, mit der ganzen Liebe, die ich in diesem Augenblick fühlte, und während sie in meinen Armen lag, bat ich all das, an was ich glaubte, und alle, an die ich glaubte, mir die Kraft zu geben, mit dem Schwert zurückzukehren.

»Hübsches Schwert, was?« meinte eine weibliche Stimme am Nebentisch, nachdem meine Frau gegangen war.

»Wenn du willst, kaufe ich dir genau so eins«, antwortete eine Männerstimme. »In den Touristenläden hier in Spanien gibt es die zu Hunderten.«

Nachdem ich eine Stunde gefahren war, begann ich, die Müdigkeit zu spüren, die sich in der vergangenen Nacht angesammelt hatte. Die Augusthitze brannte, und ich beschloß, in einer kleinen Stadt kurz anzuhalten, die auf den Straßenkarten als historischer Ort angegeben war. Während ich mit dem Wagen den steilen Hang hinaufkletterte, der dorthin führte, rief ich mir noch einmal alles ins Gedächtnis zurück, was ich über den Jakobsweg gelernt hatte.

Die muslimische Tradition verlangt von jedem Gläubigen, daß er zumindest einmal in seinem Leben nach Mekka pilgert. Das Christentum kannte im ersten Jahrtausend drei Wege, die jedem, der sie bis zu ihrem Ende beschritt, Segnungen und Ablässe versprachen. Der erste führte zum Grabe Petri nach Rom. Sein Symbol war das Kreuz. Romfahrer nannte man diese Pilger. Der zweite führte zum Heiligen Grab Christi in Jerusalem, und die Menschen, die dorthin pilgerten, wurden Palmträger genannt, denn sein Symbol waren die Palmen, die Christus bei seinem Einzug in die Stadt begrüßt hatten. Der dritte Weg führte zu den Reliquien des Apostels Jacobus, die auf der Iberischen Halbinsel an der Stelle begraben waren, an der ein Hirte eines Abends über einem Feld einen Stern leuchten sah. Der Legende zufolge sollen der heilige Jacobus und die Jungfrau Maria dort nach Christi Tod das Evangelium verkündet und die Bevölkerung aufgefordert haben, sich zum Wort Gottes zu bekehren. Der Ort erhielt den Namen Compostela, das Sternenfeld, und bald erhob sich dort eine Stadt, die Reisende aus der gesamten christlichen Welt anziehen sollte. Denjenigen, die diesen dritten heiligen Weg gingen, wurde der Name Jakobsbruder gegeben, und sie erkoren die Muschel zu ihrem Symbol.

Während ihres goldenen Zeitalters im 14. Jahrhundert

pilgerten über eine Million Menschen den Jakobsweg entlang, der auch ›Milchstraße‹ genannt wurde, weil sich die Pilger nachts nach dieser Galaxis orientierten. Bis heute wandern Mystiker, Fromme und Suchende die siebenhundert Kilometer, von der französischen Stadt Saint-Jean-Pied-de-Port zur Kathedrale von Santiago de Compostela in Spanien.

Dank dem französischen Priester Aymeric Picaud, der im Jahre 1123 nach Compostela pilgerte, entspricht die heutige Route noch der, der die mittelalterlichen Pilger wie Karl der Große, Franz von Assisi, Isabella von Kastilien und, vor gar nicht langer Zeit, auch Papst Johannes XXIII. folgten. Picaud schrieb fünf Bücher über seine Erlebnisse, die als Werk von Papst Calixtus II., eines großen Verehrers des heiligen Jacobus, ausgegeben und später unter der Bezeichnung *Codex Calixtinus* bekannt wurden. Im V. Buch des *Liber Calixtinus*, dem *Liber Sancti Jacobi*, zählte Picaud Merkmale in der Natur, Brunnen, Hospize, Unterstände und Städte längs des Weges auf. Auf den Kommentaren von Picaud fußend, hat es sich die Gesellschaft der Freunde der Jakobsstraße (Santiago ist der spanische Name des heiligen Jacobus, auf englisch James, italienisch Giacomo) zur Aufgabe gemacht, diese Merkmale in der Natur bis hin zum heutigen Tage zu erhalten und den Pilgern beizustehen.

Im 12. Jahrhundert begann die spanische Nation in ihrem Kampf gegen die Mauren, die die Halbinsel besetzt hatten, die Mystik des heiligen Jacobus für sich zu nutzen. Mehrere religiöse Ritterorden entwickelten sich längs des Pilgerweges, und die Asche des Apostels wurde zu einem mächtigen spirituellen Bollwerk im Kampf gegen die Muselmanen, die ihrerseits behaupteten, der *Arm Mohammeds* sei mit ihnen. Doch nach dem Ende der Reconquista, der Wiedereroberung der Iberischen Halbinsel, waren die Militärorden so mächtig geworden, daß der Staat sie als Bedrohung empfand und die Reyes Catolicos, die Katholischen Könige, sich zum Eingreifen gezwungen sahen, um zu verhindern, daß diese Orden sich gegen den Adel erhoben. In der Folge fiel der Jakobsweg allmählich weitgehend der Vergessenheit anheim, und würde er nicht hin und wieder einmal in der Kunst – wie im Film *Die Milchstraße* von Buñuel oder in *Caminante* von Joan Manuel Serrat – thematisiert, würde sich heutzutage kaum jemand mehr daran erinnern, daß einstmals Tausende von Menschen diesen Weg gegangen sind, von denen einige später die Neue Welt bevölkert haben.

Die kleine Stadt, in die ich gelangte, lag vollkommen verlassen da. Nach langem Suchen fand ich eine kleine Kneipe in einem mittelalterlich wirkenden Gebäude. Der Wirt, der den Blick nicht von der Nachrichtensendung im Fernsehen wandte, bedeutete mir, daß jetzt Siestazeit und ich verrückt sei, bei dieser Hitze herumzufahren.

Ich bestellte ein kaltes Getränk, war versucht, auch ein wenig fernzusehen, doch ich konnte mich auf nichts konzentrieren. Ich dachte nur daran, daß ich in zwei Tagen, mitten im 20. Jahrhundert, ein ähnlich großes Abenteuer der Menschheit erleben würde wie jenes, das Odysseus nach Troja, Don Quichotte auf die kastilische Hochebene La Mancha, Dante und Orpheus in die Unterwelt und Christoph Columbus nach Amerika führte: das Abenteuer einer Reise ins Unbekannte.

Als ich wieder ins Auto stieg, hatte sich meine Unruhe etwas gelegt. Selbst wenn ich mein Schwert nicht fand, die Pilgerwanderung auf dem Jakobsweg würde mir erlauben, mich selbst zu entdecken.

Saint-Jean-Pied-de-Port

Maskierte Menschen und ihnen voran eine Blaskapelle, alle in Rot, Grün und Weiß gekleidet, den Farben des französischen Baskenlandes, zogen durch die Hauptstraße von Saint-Jean-Pied-de-Port. Es war Sonntag, ich hatte zwei Tage am Lenkrad meines Wagens verbracht und hatte keine Minute zu verlieren, und schon gar nicht die Zeit, um an diesem Fest teilzunehmen. Ich bahnte mir einen Weg durch die Menge und erreichte schließlich die Befestigungen, die den ältesten Teil der Stadt bilden, in dem ich Madame Savin treffen sollte. Sogar in diesem Winkel der Pyrenäen war es tagsüber heiß, und ich stieg schweißgebadet aus dem Wagen.

Ich klopfte an die Tür. Klopfte abermals, vergebens. Ein drittes Mal. Mir antwortete nur die Stille. Unruhig setzte ich mich auf einen Mauervorsprung. Meine Frau hatte mir gesagt, daß ich mich genau an diesem Tag dort einfinden sollte, doch niemand öffnete. Vielleicht war Madame Savin ausgegangen, um sich den Umzug anzusehen, dachte ich; doch es war ebensogut möglich, daß ich zu spät gekommen war und sie beschlossen hatte, mich nicht mehr zu empfangen. Die Wanderung über den Jakobsweg war zu Ende, noch bevor sie begonnen hatte.

Plötzlich öffnete sich die Tür, und ein Kind stürzte auf

die Straße. Ich sprang auf und fragte in meinem schlechten Französisch nach Madame Savin. Das kleine Mädchen lachte und wies ins Innere des Hauses. Da erst bemerkte ich meinen Irrtum: Die Tür führte in einen riesigen Innenhof, der von mittelalterlichen, mit Balkons versehenen Häusern umstanden war. Man hatte die Tür für mich offengelassen, und ich hatte nicht einmal gewagt, die Klinke zu ergreifen.

Ich ging schnell hinein und lief zu dem Haus, das mir das Mädchen gezeigt hatte. Im Inneren fuhr eine dicke, nicht mehr ganz junge Frau einen schmächtigen jungen Mann mit traurigen braunen Augen auf baskisch an. Ich wartete, bis die Alte den Jungen unter einem Schwall von Beschimpfungen in die Küche schickte. Dann erst wandte sie sich an mich, und ohne zu fragen, was ich denn wollte, führte sie mich resolut in den zweiten Stock des kleinen Hauses. Die Tür zu einem der Zimmer stand offen. Darin stand ein mit Büchern, Gegenständen, Statuetten des heiligen Jacobus und Souvenirs des Wallfahrtsweges vollgestellter Schreibtisch. Sie nahm ein Buch aus dem Regal, setzte sich an den einzigen Tisch im Zimmer.

»Ich nehme an, Sie sind auch ein Wallfahrer nach Santiago de Compostela«, sagte sie ohne Umschweife. »Ich muß Ihren Namen in das Register für den Jakobsweg eintragen.«

Ich sagte ihr meinen Namen, und sie wollte wissen, ob ich die Jakobsmuscheln mitgebracht hätte. So nennt man die großen Kammuschelschalen, die am Grab des Apostels als Symbol für die Pilgerreise angebracht sind und die den Pilgern untereinander als Erkennungszeichen dienen. Vor meiner Abreise nach Spanien war ich in Brasilien an einen Wallfahrtsort gefahren, Aparecida do Norte. Dort hatte ich ein auf drei Muscheln montiertes Bildnis der Heiligen Jungfrau erstanden. Ich zog es aus meiner Reisetasche und reichte es Madame Savin.

»Hübsch, aber unpraktisch«, meinte sie, als sie mir die Muscheln zurückgab. »Sie könnten auf dem Weg zerbrechen.«

»Sie werden nicht zerbrechen. Ich werde sie zum Grab des Apostels bringen.«

Madame Savin schien nicht viel Zeit für mich zu haben. Sie gab mir ein kleines Heft, das mir die Unterbringung in den Klöstern längs des Weges erleichtern sollte, versah es mit dem Stempel von Saint-Jean-Pied-de-Port, um anzugeben, wo ich meine Reise begonnen hatte, und sagte, daß ich nunmehr mit dem Segen Gottes aufbrechen könne.

»Aber wo ist mein Führer?« fragte ich sie.

»Was für ein Führer?« entgegnete sie überrascht, doch mit einem Aufblitzen in den Augen.

Ich begriff, daß ich etwas Entscheidendes vergessen hatte. Weil ich es eilig gehabt hatte, anzukommen und aufgenommen zu werden, hatte ich das alte Wort nicht ausgesprochen, die Losung derer, die dem Orden der ›Tradition‹ angehören oder angehört haben. Ich machte sofort meinen Fehler wieder gut und sagte das Wort. Da entriß mir Madame Savin das Heft, das sie mir wenige Minuten zuvor gegeben hatte.

»Sie werden es nicht brauchen«, sagte sie, während sie einen Stapel alter Zeitungen von einer Pappschachtel nahm. »Ihr Weg und Ihre Unterkunft werden in den Händen Ihres Führers liegen.«

Madame Savin zog dann einen Hut und einen Umhang

aus der Pappschachtel. Beide wirkten wie alte Kleidungsstücke, waren jedoch gut erhalten. Sie bat mich, mich in die Mitte des Zimmers zu stellen, und begann dann still zu beten. Dann legte sie mir den Umhang um die Schultern und setzte mir den Hut auf. Ich bemerkte, daß an den Hut und auf die Schulterstücke des Umhangs Muscheln genäht waren. Ohne ihr Gebet zu unterbrechen, nahm die alte Frau einen Stab, der in einer Ecke des Büros gestanden hatte, und legte ihn in meine rechte Hand. An diesem langen Stock hing oben eine kleine Kalebasse für Wasser. Da stand ich nun in Jeans-Bermudas und einem T-Shirt mit der Aufschrift ›I LOVE NY‹, und darüber das mittelalterliche Gewand der Santiago-de-Compostela-Pilger.

Die alte Dame trat auf mich zu. In einer Art Trance legte sie ihre Hände flach auf meinen Kopf und sagte:

»Möge dich der Apostel Jacobus begleiten und dir das Einzige zeigen, was du entdecken sollst. Geh weder zu schnell noch zu langsam, doch immer so, daß du die Gesetze und das, was der Weg verlangt, einhältst. Gehorche dem, der dich führen wird, auch wenn er dir befiehlt, zu töten, Gott zu lästern oder irgendeine unsinnige Tat zu vollführen. Du mußt unbedingten Gehorsam schwören.«

Ich schwor.

»Der Geist der alten Pilger der ›Tradition‹ sei auf deiner Reise mit dir. Der Hut möge dich vor der Sonne und bösen Gedanken schützen. Der Umhang möge dich vor dem Regen und vor bösen Worten schützen. Der Stab möge dich vor den Feinden und vor bösen Taten schützen. Der Segen Gottes und des heiligen Jacobus und der Jungfrau Maria mögen dich Tag und Nacht begleiten. Amen.«

Dann fiel sie wieder in ihr altes Verhalten zurück: Mürrisch raffte sie die Kleidungsstücke zusammen und verstaute sie in der Schachtel, stellte den Stab mit der Kalebasse wieder in die Zimmerecke und bat mich, schnell aufzubrechen, da mein Führer mich ein oder zwei Kilometer von Saint-Jean-Pied-de-Port entfernt erwartete.

»Er haßt Blasorchester«, erklärte sie. »Aber er wird es sogar noch in ein, zwei Kilometer Entfernung hören: Die Pyrenäen sind ein außergewöhnlich guter Resonanzkasten.«

Ohne ein weiteres Wort stieg sie die Treppe hinunter und kehrte in die Küche zurück, um den jungen Mann mit den traurigen Augen weiter zu malträtieren. Im Hinausgehen fragte ich sie, was ich mit dem Wagen machen solle, und sie riet mir, ihr die Schlüssel dazulassen, weil sie jemand abholen käme. Also nahm ich meinen kleinen blauen Rucksack, an dem ein Schlafsack festgezurrt war, aus dem Kofferraum. Ich steckte das Bildnis der heiligen Muttergottes von Aparecida und die Muscheln in die Innentasche, schulterte den Rucksack und ging wieder zu Madame Savin zurück, um ihr die Wagenschlüssel zu geben.

»Sie verlassen die Stadt am besten, indem Sie dieser Straße bis zum Tor unten am Festungswall folgen. Und wenn Sie in Santiago de Compostela angekommen sind, beten Sie ein Ave Maria für mich. Ich bin diesen Weg oft gegangen. Jetzt gebe ich mich damit zufrieden, in den Augen der Pilger die Begeisterung zu lesen, die ich selber noch fühle, aber aufgrund meines Alters nicht mehr in die Tat umsetzen kann. Sagen Sie das dem heiligen Jacobus. Sagen Sie ihm auch, daß ich irgendwann auf einem anderen, direkteren und weniger mühsamen Weg zu ihm kommen werde.«

Ich verließ die Stadt durch die Porte d'Espagne im Festungswall. Einst war dies der von den römischen Eroberern bevorzugte Weg gewesen, und auch die Armeen Karls des Großen und Napoleons Truppen waren durch das Tor gezogen. Ich wanderte schweigend, hörte von fern das Blasorchester, und inmitten der Ruinen eines Dorfes in der Nähe von Saint-Jean wurde ich unvermittelt von einem starken Gefühl überwältigt, und meine Augen füllten sich mit Tränen: Dort in den Ruinen wurde mir zum ersten Mal bewußt, daß meine Füße auf dem geheimnisumwobenen Jakobsweg gingen.

Die Musik und die in die Morgensonne getauchten Pyrenäen rings um das Tal gaben mir das Gefühl, etwas ganz Ursprüngliches, etwas von den Menschen längst Vergessenes zu erleben. Es war ein seltsames, starkes Gefühl, das ich nicht beschreiben konnte, das mich veranlaßte, meine Schritte zu beschleunigen, damit ich so schnell wie möglich den Ort erreichte, an dem mich laut Madame Savin mein Führer erwartete. Im Gehen hatte ich mein T-Shirt ausgezogen und in meinen Rucksack gesteckt. Die Schulterriemen begannen in meine nackten Schultern zu schneiden. Meine alten Turnschuhe hingegen waren so gut eingelaufen, daß ich sie nicht spürte. Nach etwa vierzig Minuten gelangte ich nach einer Biegung des Weges, der um einen riesigen Felsen führte, zu dem alten versiegten Brunnen. Auf der Erde saß ein etwa fünfzigjähriger schwarzhaariger Mann, der wie ein Zigeuner aussah und in einem Rucksack kramte.

»Hallo. Du wartest wohl schon auf mich. Ich heiße Paulo«, sagte ich auf spanisch, schüchtern wie immer, wenn ich einen Unbekannten treffe.

Der Mann hörte auf, in dem Rucksack herumzustöbern, und schaute mich von oben bis unten an. Sein Blick war kalt, und er schien über meine Ankunft nicht überrascht zu sein. Ich hatte das unbestimmte Gefühl, ihn zu kennen.

»Ja, ich habe auf dich gewartet, aber ich dachte nicht, daß ich dich so schnell treffen würde. Was willst du?«

Durch seine Frage etwas verwirrt, antwortete ich ihm, daß ich der sei, den er auf dessen Suche nach dem Schwert die ›Milchstraße‹ entlangführen solle.

»Das wird nicht notwendig sein«, sagte der Mann. »Wenn du willst, kann ich es für dich finden. Aber entscheide dich schnell.«

Mir kam die Unterhaltung immer merkwürdiger vor. Dennoch wollte ich ihm, da ich ja unbedingten Gehorsam geschworen hatte, gleich antworten. Wenn er das Schwert für mich finden könnte, würde ich sehr viel Zeit gewinnen und könnte schnell nach Brasilien zu meiner Familie und meiner Arbeit zurückkehren, die mich in Gedanken noch immer beschäftigte. Es konnte dies auch eine List sein, aber eine Antwort würde nichts schaden.

Ich hatte schon beschlossen, das Angebot anzunehmen, da hörte ich plötzlich hinter mir eine Stimme mit sehr starkem Akzent auf spanisch sagen:

»Man braucht einen Berg nicht zu besteigen, um zu wissen, daß er hoch ist.«

Das war die Losung. Ich drehte mich um und sah einen etwa vierzigjährigen Mann in Khakibermudas und einem schweißdurchtränkten weißen Hemd, der den Zigeuner anstarrte. Er hatte graumeliertes Haar und sonnengebräunte Haut. In meiner Hast hatte ich die elementarsten Sicherheitsvorkehrungen vergessen und mich dem erstbesten, den ich getroffen hatte, in die Arme geworfen.

»Das Schiff ist sicherer, wenn es im Hafen liegt. Doch nicht dazu wurden Schiffe gebaut«, antwortete ich auf das Losungswort. Der Mann wandte währenddessen den Blick nicht vom Zigeuner, der seinerseits den Mann nicht aus den Augen ließ. Sie sahen einander einige Minuten lang furchtlos und ruhig an, bis der Zigeuner den Rucksack mit einer verächtlichen Geste auf den Boden stellte und in Richtung Saint-Jean-Pied-de-Port verschwand.

»Ich heiße Petrus«, sagte der Neuankömmling, nachdem der Zigeuner hinter dem riesigen Felsen verschwunden war, den ich wenige Minuten zuvor umrundet hatte. »Das nächste Mal sei vorsichtiger.«

Seine Stimme klang sympathischer als die des Zigeuners und auch als die von Madame Savin. Er nahm seinen Rucksack, auf dessen Rückseite eine Muschel abgebildet war, zog eine Flasche Wein daraus hervor, trank einen Schluck davon und reichte sie dann mir. Nachdem ich getrunken hatte, fragte ich ihn, wer der Zigeuner gewesen sei.

»Dieser Weg verläuft an der Grenze zwischen Spanien und Frankreich und wird häufig von Schmugglern und flüchtigen Terroristen aus dem spanischen Baskenland benutzt«, erklärte mir Petrus. »Die Polizei kommt fast nie hierher.«

»Das ist keine Antwort. Ihr habt euch angesehen, als wärt ihr alte Bekannte. Und auch ich hatte das Gefühl, ihn zu kennen, deshalb war ich auch so unbedacht.«

Petrus lachte und meinte, wir sollten uns nun auf den Weg machen. Ich nahm meine Sachen, und wir wanderten schweigend. Doch Petrus' Lachen hatte mich verstehen lassen, daß er dasselbe dachte wie ich: Wir waren einem Dämon begegnet.

Wir gingen eine geraume Weile, ohne etwas zu sagen. Madame Savin hatte recht gehabt: Man konnte selbst in einer Entfernung von beinahe drei Kilometern noch das Blasorchester hören. Ich hätte Petrus gern eine Menge Fragen zu seinem Leben, seiner Arbeit und dem Grund seines Hierseins gestellt. Doch ich wußte, daß wir noch siebenhundert Kilometer gemeinsamen Weges vor uns hatten und ich zum gegebenen Zeitpunkt auf diese Fragen eine Antwort erhalten würde. Allein, der Zigeuner ging mir nicht aus dem Sinn, und schließlich brach ich das Schweigen.

»Petrus, ich glaube, daß der Zigeuner der Dämon war.«

»Ja, das war der Dämon.« Als er es mir bestätigte, spürte ich eine Mischung aus Schrecken und Erleichterung. »Aber das war nicht der Dämon, den du in der ›Tradition‹ kennengelernt hast.«

In der ›Tradition‹ ist der Dämon ein Geist, der weder gut noch böse ist. Ihm wird die Rolle des Wächters der meisten für den Menschen erreichbaren Geheimnisse zugeschrieben, und er hat die Macht über die materiellen Dinge. Er ist ein gefallener Engel, der sich mit den Menschen identifiziert und bei entsprechender Gegenleistung immer bereit ist, ihnen einen Gefallen zu tun.

Auf meine Frage, was denn der Unterschied zwischen dem Zigeuner und den Dämonen der ›Tradition‹ sei, antwortete Petrus lachend:

»Wir werden auf unserem Weg noch weitere treffen. Du wirst es schon selber herausfinden. Erinnere dich an die

Unterhaltung, die du mit dem Zigeuner hattest, dann wird dir etwas auffallen.«

Ich rief mir die zwei Sätze ins Gedächtnis, die wir miteinander gesprochen hatten. Er hatte gesagt, er habe mich erwartet, und mir versichert, er werde das Schwert für mich finden.

Darauf erklärte mir Petrus, daß die beiden Sätze wunderbar in den Mund eines Diebes paßten, der dabei erwischt wird, wie er einen Rucksack stiehlt: Er versucht, Zeit zu gewinnen und sich, während er seine Flucht vorbereitet, den anderen gewogen zu machen. Beide Sätze könnten einen verborgenen tieferen Sinn enthalten, oder aber seine Worte gaben nur genau das wieder, was er dachte.

»Und welche ist die richtige Deutung?«

»Beide. Der arme Dieb hat, während er sich verteidigte, seine Worte aus der Luft gegriffen. Er hielt sich für schlau und war dabei nur das Werkzeug einer höheren Macht. Wäre er geflohen, als ich kam, müßten wir uns jetzt nicht über ihn unterhalten. Doch er hat sich mir gestellt, und ich habe in seinen Augen den Namen eines Dämons gesehen, dem du noch auf unserem Weg begegnen wirst.«

Für Petrus war dieses Treffen ein gutes Omen, weil sich der Dämon schon früh offenbart hatte.

»Einstweilen mach dir seinetwegen keine Sorgen, denn, wie gesagt, er wird nicht der einzige bleiben. Er ist vielleicht der wichtigste, doch er wird nicht der einzige bleiben.«

Wir setzten unsere Wanderung fort. Die bislang etwas wüstenartig wirkende Vegetation bestand jetzt aus locker verteilten Büschen. Vielleicht sollte ich besser Petrus' Rat befolgen und die Dinge auf mich zukommen lassen. Hin und wieder machte er eine Bemerkung zu historischen Ereignissen, die sich dort ereignet hatten, wo wir gerade vorbeikamen. Ich habe beispielsweise das Haus gesehen, in dem eine Königin am Vorabend ihres Todes geschlafen hat, und eine kleine in die Felsen geschmiegte Kapelle, die Einsiedelei eines heiligen Mannes, von dem die wenigen Bewohner des Landstrichs behaupteten, er tue Wunder.

»Wunder sind doch etwas sehr Wichtiges, findest du nicht?« fragte mich Petrus.

Ich stimmte ihm zu, sagte ihm aber auch, daß ich bislang kein großes Wunder gesehen hätte. Meine Lehrjahre innerhalb der ›Tradition‹ seien eher intellektuell ausgerichtet gewesen. Ich glaubte, daß ich, wenn ich mein Schwert wiedergefunden haben würde, imstande wäre, meinerseits die großen Dinge zu tun, die mein Meister tat.

»Aber das sind keine Wunder, weil sie die Gesetze der Natur nicht ändern. Mein Meister gebraucht seine Kräfte, um...«

Ich brachte meinen Satz nicht zu Ende, weil ich keine Erklärung für die Tatsache fand, daß mein Meister Geister materialisieren konnte, daß er Gegenstände von ihrem Platz bewegte, ohne sie zu berühren, und daß er, wie ich es mehr als einmal gesehen hatte, in der dunklen Wolkendecke eines Nachmittags Lücken blauen Himmels öffnete.

»Vielleicht tut er das, um dich davon zu überzeugen, daß er das Wissen und die Macht besitzt«, entgegnete Petrus.

»Das ist möglich«, meinte ich etwas halbherzig.

Wir setzten uns auf einen Stein, weil Petrus mir sagte, er hasse es, im Gehen zu rauchen. Die Lungen nähmen dann mehr Nikotin auf, und davon würde ihm übel werden.

»Dein Meister hat dir das Schwert verweigert, weil du nicht weißt, aus welchem Grunde er die Wunder tut. Weil du vergessen hast, daß der Weg der Erkenntnis ein Weg ist, der allen Menschen offensteht, den ganz gewöhnlichen Menschen. Ich werde dich auf unserem Wege einige Exerzitien und Rituale lehren, die als die *Praktiken der R.A.M.* bekannt sind. Jedermann wird zu irgendeinem Zeitpunkt seines Lebens Zugang zu mindestens einer von ihnen finden. Jeder, der geduldig und klarsichtig sucht, kann sie alle, ohne Ausnahme, in den Lektionen entdecken, die uns das Leben erteilt.

Die *Praktiken der R.A.M.* sind so einfach, daß Leute wie du, die die Angewohnheit haben, das Leben zu verkomplizieren, ihnen häufig keinen Wert beimessen. Doch sie und drei weitere Gruppen von Praktiken sind es, die den Menschen in die Lage versetzen, alles, wirklich alles zu erhalten, was er sich wünscht.

Jesus lobte den Herrn, als seine Jünger begannen, Wunder zu tun und Kranke zu heilen, und er dankte Ihm, weil Er die Dinge vor den Weisen verbarg, sie indes den einfachen Menschen offenbarte. Schließlich sollte man, wenn man an Gott glaubt, auch glauben, daß Gott gerecht ist.«

Petrus hatte recht. Es wäre ungerecht von Gott, nur gelehrten Menschen, die über die Zeit und das Geld verfügen, um teure Bücher zu kaufen, Zugang zum wahren Wissen zu gestatten.

»Den wahren Weg zur Weisheit erkennt man an drei Dingen«, erklärte Petrus. »Zuerst einmal muß er Agape enthalten. Darüber werde ich dir später etwas erzählen. Dann muß er im Leben praktisch anwendbar sein, sonst wird die

Weisheit nutzlos und verkommt wie ein Schwert, das niemals gebraucht wird. Schließlich muß es ein Weg sein, den jeder gehen kann. Wie diesen hier, den Jakobsweg.«

Wir waren den ganzen Nachmittag gewandert, und erst als die Sonne allmählich hinter den Bergen verschwand, beschloß Petrus erneut haltzumachen. Um uns herum leuchteten die höchsten Gipfel der Pyrenäen im Schein der letzten Lichtstrahlen des Tages.

Petrus bat mich, ein kleines Stück Erdboden zu säubern und darauf niederzuknien.

»Die erste *Praktik der R.A.M.* besteht darin, wiedergeboren zu werden. Du mußt sie sieben Tage hintereinander durchführen und dabei versuchen, auf eine andere Art und Weise deinen ersten Kontakt mit der Welt wiederzuerleben. Du weißt, wie schwer es gewesen ist, alles aufzugeben und zu beschließen, auf die Suche nach deinem Schwert zu gehen und den Jakobsweg zu beschreiten. Es war schwierig, weil du Gefangener deiner Vergangenheit warst. Du hast eine Schlappe erlebt und fürchtest eine weitere Niederlage. Du hast etwas erreicht und fürchtest, es zu verlieren. Dennoch hat ein starkes Gefühl die Oberhand gewonnen: der Wunsch, dein Schwert wiederzufinden. Und du hast beschlossen, das Risiko einzugehen.«

Ich gab zu bedenken, daß ich mich von den Sorgen, auf die er angespielt hatte, noch nicht befreit hätte.

»Das ist unwichtig. Die Übung wird dich ganz allmählich von den Bürden befreien, die du dir in deinem Leben selbst aufgeladen hast.«

Und dann lehrte mich Petrus die erste Übung der R.A.M.: *Das Samenkorn.*

»Und nun mach die Übung zum ersten Mal«, sagte er.

Ich steckte meinen Kopf zwischen die Knie, atmete tief und begann mich zu entspannen. Mein Körper gehorchte widerspruchslos, vielleicht weil wir den ganzen Tag über gewandert waren und ich nun erschöpft war. Ich lauschte dem Klang der Erde, einem dumpfen, heiseren Klang, und wurde ganz allmählich zu einem Samenkorn. Ich dachte nicht mehr. Alles war dunkel, und ich schlief tief unten in der Erde. Plötzlich bewegte sich etwas. Ein Teil von mir, ein winziger Teil von mir, wollte mich wecken, mir sagen, daß ich von dort unten herauskommen solle, da es ›dort oben‹ etwas anderes gab. Ich wollte weiterschlafen, doch dieser Teil ließ nicht locker. Er begann meine Finger zu bewegen, und meine Finger bewegten dann meine Arme. Doch es waren weder die Finger noch die Arme, es war ein Samenkorn, das darum kämpfte, die Erde zu durchbrechen und dort ›nach oben‹ zu kommen. Ich spürte, wie mein Körper begann, der Bewegung meiner Arme zu folgen. Jede Sekunde war wie eine Ewigkeit, doch das Samenkorn wollte wachsen, wollte wissen, was ›dort oben‹ war. Unter großen Schwierigkeiten richteten sich zuerst mein Kopf und dann mein Körper auf. Alles vollzog sich für mich viel zu langsam, und ich mußte gegen die Kraft ankämpfen, die mich ins Innere der Erde zog, wo ich bislang ruhig in nicht endendem Schlaf gelegen hatte. Doch es gelang mir, und ich bezwang diese Kraft und erhob mich. Ich hatte die Erde durchbrochen und war von diesem ›dort oben‹ umgeben.

Es war die Natur. Ich spürte die Wärme der Sonne, hörte das Summen der Insekten, das Murmeln des Baches in der Ferne. Langsam stand ich auf, hielt die Augen geschlossen

DAS EXERZITIUM VOM SAMENKORN

Knie nieder. Dann setze dich auf deine Fersen und beuge dich so weit nach vorn, bis deine Stirn die Knie berührt. Strecke die Arme zurück. Du befindest dich jetzt in Fötushaltung. Schließe die Augen. Nun entspanne dich vollkommen. Atme ruhig und tief. Ganz allmählich glaubst du, ein winziges, wohlig von der Erde umschlossenes Samenkorn zu sein. Du bist von Wärme und Wohlgefühl umgeben. Du schläfst ruhig.

Plötzlich erzittert ein Finger. Das Korn will nicht mehr Samenkorn sein, es will wachsen. Du beginnst ganz langsam die Arme zu bewegen, dann richtet sich dein Körper auf, bis du wieder auf den Fersen sitzt. Nun erhebst du dich etwas und verschiebst dein Gewicht ganz langsam nach vorn, bis du wieder kniest. Während du das tust, stell dir vor, du wärst ein Samenkorn, das keimt und allmählich die Erde durchbricht.

Jetzt ist der Augenblick gekommen, die Erde ganz zu durchstoßen. Du erhebst dich langsam, setzt erst einen Fuß, dann den anderen auf, versuchst das Gleichgewicht zu halten, wie ein Schößling, der um seinen Raum kämpft. Wenn du ganz aufgerichtet stehst, stelle dir das Feld um dich herum vor, die Sonne, das Wasser, den Wind und die Vögel: Du bist ein Samenkorn, das wächst. Du hebst langsam die Arme zum Himmel. Dann streckst du dich immer weiter, als wolltest du die Sonne packen, die über dir leuchtet und dir Kraft spendet und dich anzieht. Dein Körper spannt sich an, die Muskeln kontrahieren, und dabei fühlst du, daß du immer größer wirst, bis du schließlich riesig bist. Die Anspannung wird immer stärker, wird schmerzhaft, unerträglich. Wenn du es nicht mehr aushältst, stoße einen Schrei aus und öffne die Augen.

und glaubte das Gleichgewicht zu verlieren und zur Erde zurückzukehren. Dennoch wuchs ich immer weiter. Meine Arme lösten sich vom Körper, der sich immer weiter streckte. Und ich wurde wiedergeboren, wünschte mir, daß diese unendlich große, leuchtende Sonne mich durchflutete. Ich reckte meine Arme, so weit ich konnte. Alle meine Muskeln begannen zu schmerzen, und mir war so, als ragte ich tausend Meter hoch hinauf, als könnte ich die Berge umarmen. Mein Körper weitete und weitete sich, bis die Schmerzen in den Muskeln so intensiv geworden waren, daß ich es nicht mehr aushalten konnte. Da stieß ich einen Schrei aus.

Ich öffnete die Augen und sah Petrus, der vor mir stand, eine Zigarette rauchte und mich anlächelte. Das Tageslicht war noch nicht ganz verschwunden, doch zu meiner Überraschung gab es weniger Sonne, als ich vermutet hatte. Ich fragte ihn, ob er wollte, daß ich ihm meine Gefühle beschriebe. Er verneinte es.

»Das sind sehr persönliche Dinge, die solltest du für dich behalten. Wie soll ich mir ein Urteil über sie erlauben. Sie gehören dir ganz allein.«

Dann meinte er, wir sollten hier schlafen. Wir machten ein kleines Feuer, tranken den Rest Wein und aßen das Brot, das ich mit der Leberpastete bestrichen hatte, die ich, noch bevor ich nach Saint-Jean gekommen war, gekauft hatte. Petrus war zum Bach gegangen, der in der Nähe floß, und hatte dort Fische gefangen, die er dann auf dem Feuer grillte. Anschließend streckten wir uns jeder in seinem Schlafsack aus.

Diese erste Nacht auf dem Jakobsweg gehört zu den

Dingen in meinem Leben, die ich nie wieder vergessen werde. Es war kalt, obwohl Sommer war. Ich hatte noch den Geschmack des Weins, den Petrus mitgebracht hatte, im Mund. Ich blickte in den Himmel und die Milchstraße, die den unendlichen Weg zeigte, den wir noch gehen mußten. Unter anderen Umständen hätte mir diese unendliche Weite Angst eingeflößt, und ich hätte gefürchtet, es nicht zu schaffen, dem nicht gewachsen zu sein. Doch heute war ich ein Samenkorn und war neugeboren. Ich hatte herausgefunden, daß trotz des Behagens in der Erde und des Schlafes, den ich dort schlief, das Leben ›dort oben‹ viel schöner war. Ich konnte, sooft ich wollte, wiedergeboren werden, bis meine Arme so groß waren, daß sie die ganze Welt umarmen konnten.

Der Schöpfer und die Kreatur

Sechs Tage lang waren wir durch die Pyrenäen gewandert, die Berge hinauf- und hinabgestiegen. Jedesmal, wenn die letzten Sonnenstrahlen die höchsten Gipfel gerade noch beschienen, ließ mich Petrus das *Exerzitium vom Samenkorn* machen. Am dritten Tag zeigte uns ein Wegweiser aus Beton, daß wir uns auf spanischem Boden befanden. Petrus hatte nach und nach einiges aus seinem Privatleben preisgegeben. Ich fand heraus, daß er Italiener war und von Beruf Industriedesigner. Ich fragte ihn, ob all das, was er aufgegeben hätte, um einen Pilger zu führen, der auf der Suche nach einem Schwert war, ihn nicht in Gedanken weiter beschäftigte.

»Ich möchte, daß dir eines klar ist«, antwortete er. »Ich führe dich nicht zu deinem Schwert. Es zu finden ist ganz allein deine Sache. Ich bin hier, um dich auf dem Jakobsweg zu führen und dich die *Praktiken der R.A.M.* zu lehren. Wie du sie dann bei der Suche nach deinem Schwert anwendest, ist dir überlassen.«

»Du hast meine Frage nicht beantwortet.«

»Eine Reise ist immer ein Akt der Wiedergeburt. Du wirst vor vollkommen neue Situationen gestellt, der Tag vergeht viel langsamer, und zumeist verstehst du die Sprache nicht, die die Menschen sprechen. Genau wie ein Kind, das aus dem Mutterleib kommt. Unter solchen Umständen mißt du dem, was dich umgibt, eine viel größere Bedeutung bei, da dein Überleben davon abhängt. Du bist Menschen gegenüber offener, weil sie dir vielleicht in schwierigen Lagen helfen können. Und du nimmst das kleinste Geschenk der Götter mit so großer Freude auf, als handele es sich um etwas, was man sein ganzes Leben lang nie wieder vergißt.

Zugleich wirst du, da alles neu ist, vor allem der Schönheit aller Dinge gewahr und bist glücklich darüber zu leben. Daher ist die Wallfahrt seit jeher eine der objektivsten Formen, um zur Erleuchtung zu gelangen. Um seine Sünden abzulegen, muß man immer weitergehen, sich neuen Situationen stellen und wird dafür die Tausenden von Segnungen empfangen, die das Leben dem großzügig gewährt, der sie von ihm erbittet.

Glaubst du wirklich, daß ich mir wegen eines halben Dutzends von Projekten Sorgen mache, die ich nicht umgesetzt habe, weil ich jetzt hier mit dir zusammen bin?«

Petrus sah um sich, und ich folgte seinen Blicken. Eine Ziegenherde zog über den Abhang eines Berges. Eine Ziege, die waghalsigste, stand auf einem hohen Felsvorsprung. Ich fragte mich, wie sie dort hingekommen war und wie sie von dort wieder weggelangen könnte. Doch noch als ich mir diese Frage stellte, sprang die Ziege, für mich unsichtbare Punkte zu Hilfe nehmend, zu ihren Gefährten zurück. Alles ringsum strahlte eine kraftvolle Ruhe aus, den Frieden einer Welt, die noch viel wachsen und erfinden konnte und wußte, daß es voranzuschreiten galt, immer voranzuschreiten. Auch wenn ein heftiges Erdbeben oder ein mörderischer Sturm manchmal in mir das Gefühl erweckten, die

Natur sei grausam, so habe ich doch begriffen, daß sie nur Wechselfälle des Weges sind. Auch die Natur befindet sich auf einer Reise, auf der Suche nach der Erleuchtung.

»Ich bin sehr glücklich, hier zu sein«, sagte Petrus. »Denn die Arbeit, die ich nicht gemacht habe, zählt nicht, und die Arbeiten, die ich anschließend machen werde, werden um so besser gelingen.«

Nachdem ich das Werk von Carlos Castañeda gelesen hatte, wünschte ich mir, einmal dem alten indianischen Medizinmann Don Juan zu begegnen. Als ich Petrus sah, wie er die Berge betrachtete, hatte ich das Gefühl, mit jemandem zusammen zu sein, der sein Bruder hätte sein können.

Am Nachmittag des siebten Tages hatten wir, nachdem wir durch einen Tannenwald gewandert waren, den höchsten Punkt einer Anhöhe erreicht. Dort hatte Karl der Große das erste Mal auf spanischem Boden gebetet. Die Inschrift auf einem alten Denkmal bat den Reisenden, zur Erinnerung an dieses Ereignis ein *Salve Regina* zu beten, was wir beide taten. Dann bat mich Petrus, die Übung des Samenkorns ein letztes Mal durchzuführen.

Es ging ein starker Wind, und es war sehr kalt. Ich wandte ein, daß es noch zu früh sei – es war höchstens drei Uhr –, doch er bat mich, darüber nicht zu diskutieren und es sofort zu tun.

Ich kniete mich auf den Boden und begann die Übung. Alles verlief normal bis zu dem Augenblick, als ich die Arme ausstreckte und anfing, mir die Sonne vorzustellen. Als ich an diesem Punkt angelangt war, leuchtete eine riesige Sonne vor mir, und ich spürte, daß ich in tiefe Ekstase fiel. Meine Erinnerung daran, daß ich ein Mensch war, verlosch langsam, und ich machte jetzt keine Übung mehr, sondern war ein Baum geworden. Ich war glücklich. Die Sonne leuchtete und drehte sich um sich selbst – das war vorher noch nie geschehen. Ich stand dort mit ausgestreckten Ästen, der Wind schüttelte mein Laub, und ich wäre am liebsten immer so stehen geblieben. Bis mich etwas berührte und alles für den Bruchteil einer Sekunde dunkel wurde.

Ich öffnete sofort die Augen. Petrus hatte mir eine Ohrfeige gegeben und hielt mich an den Schultern gepackt.

»Vergiß dein Ziel nicht!« rief er wütend aus. »Vergiß nicht, daß du noch viel zu lernen hast, bevor du dein Schwert findest!«

Ich setzte mich auf die Erde, zitterte frierend im eisigen Wind.

»Passiert das immer?« fragte ich.

»Fast immer. Vor allem bei Leuten wie dir, die von den Details fasziniert sind und das Ziel ihrer Suche aus den Augen verlieren.«

Petrus hatte einen Pullover aus seinem Rucksack geholt und ihn sich übergezogen. Ich zog mir ein weiteres T-Shirt über mein I LOVE NY. Ich hätte nie gedacht, daß es in dem Sommer, den die Zeitungen als den ›heißesten des Jahrzehnts‹ bezeichneten, so kalt sein könnte. Die beiden Schichten hielten den Wind etwas ab, doch ich bat Petrus, schneller zu gehen, damit mir warm wurde.

Der Weg führte nun über einen sehr leicht zu erklimmenden Abhang. Ich dachte, mein Frösteln käme womöglich von unserer kargen Ernährung, denn wir aßen nur

Fische und die Früchte des Waldes. Doch Petrus erklärte mir, daß uns kalt sei, weil wir den höchsten Punkt unserer Wanderung durch die Berge erreicht hätten.

Wir waren keine fünfhundert Meter gegangen, als sich die Landschaft hinter einer Wegbiegung vollkommen veränderte. Vor uns breitete sich eine endlose Ebene mit sanften Erhebungen aus. Links, nicht weiter als zweihundert Meter von uns entfernt, erwartete uns ein kleines Dorf mit seinen rauchenden Schornsteinen. Ich wollte meine Schritte beschleunigen, doch Petrus hielt mich zurück.

»Ich glaube, jetzt ist der geeignetste Augenblick, um dich die zweite *Praktik der R.A.M.* zu lehren«, sagte er, indem er den Boden prüfte und mir ein Zeichen gab, es ihm gleichzutun.

Ich setzte mich widerwillig. Der Anblick des kleinen Dorfes und seiner rauchenden Schornsteine hatte mich verwirrt. Plötzlich wurde mir bewußt, daß wir uns, ohne einer Menschenseele zu begegnen, seit einer Woche in der freien Natur aufgehalten, unter freiem Himmel geschlafen hatten und immer den ganzen Tag über gewandert waren. Mir waren die Zigaretten ausgegangen, und ich mußte die gräßlichen Selbstgedrehten von Petrus rauchen. Ohne Federbett schlafen und ungewürzten Fisch essen, so etwas hatte ich wunderbar gefunden, als ich zwanzig war, doch auf dem Jakobsweg verlangte es mir eine gewaltige Portion Überwindung ab. Ich wartete ungeduldig darauf, daß Petrus seine Zigarette gerollt und schweigend aufgeraucht hatte, während ich von der Wärme eines Glases Wein in einer Bar träumte, die ich in weniger als fünf Minuten Fußmarsch vor uns liegen sah. In seinen molligen Pullover gemummelt, saß Petrus ruhig da und blickte geistesabwesend auf die unendliche Ebene.

»Wie hat dir unsere Wanderung durch die Pyrenäen gefallen?« fragte er kurz darauf.

»Sie war sehr schön«, antwortete ich, ohne weiter darüber reden zu wollen.

»Sie muß wirklich sehr schön gewesen sein, denn wir haben sechs Tage für eine Strecke gebraucht, die man an einem Tag bewältigen kann.«

Ich konnte es nicht glauben. Er nahm die Karte und zeigte mir die Entfernung: siebzehn Kilometer. Auch wenn man wegen der Auf- und Abstiege nur langsam wanderte, war dieser Weg in sechs Stunden zu schaffen.

»Du bist so versessen darauf, dein Schwert zu erreichen, daß du das Wichtigste vergessen hast: Man muß zu ihm gehen. Indem du auf Santiago gestarrt hast, das du von hier aus nicht sehen kannst, hast du nicht bemerkt, daß wir an einigen Stellen auf verschiedenen Wegen vier- oder fünfmal hintereinander vorbeigekommen sind.«

Jetzt, da Petrus es sagte, erinnerte ich mich daran, daß der Mont Itchasheguy, der höchste der Region, manchmal rechts und manchmal links von mir gelegen hatte. Mir war das damals durchaus aufgefallen, doch ich hatte nicht den einzig möglichen Schluß daraus gezogen, nämlich daß wir im Kreis gelaufen waren.

»Ich bin einfach verschiedene Wege gegangen und habe dabei die Schmugglerpfade im Wald genutzt. Aber du hättest es trotzdem merken müssen. Schuld daran ist, daß das Gehen an sich für dich unwichtig war. Für dich zählte nur dein Wunsch anzukommen.«

»Und wenn ich es gemerkt hätte?«

»Dann hätten wir auch sieben Tage gebraucht, denn die *Praktiken der R.A.M.* wollen es so. Doch du hättest mehr von den Pyrenäen gehabt.«

Ich war dermaßen überrascht, daß ich die Kälte und das Dorf vergaß.

»Wenn man auf ein Ziel zugeht«, fuhr Petrus fort, »ist es äußerst wichtig, auf den Weg zu achten. Denn der Weg lehrt uns am besten, ans Ziel zu gelangen, und er bereichert uns, während wir ihn zurücklegen. Man könnte dies mit dem sexuellen Akt vergleichen. Entscheidend für die Intensität des Orgasmus ist das Vorspiel. Das weiß inzwischen jedes Kind.

Das gilt auch, wenn man im Leben ein Ziel verfolgt. Der gute oder schlechte Ausgang hängt vom Weg ab, den wir einschlagen, um es zu erreichen, und von der Art, wie wir diesen Weg gehen. Daher ist die *Zweite Praktik der R.A.M.* so wichtig: Sie besteht darin, aus dem, was wir gewohnt sind, tagtäglich die Geheimnisse zu schöpfen, die uns die Routine zu sehen hindert.«

Und Petrus lehrte mich das *Exerzitium der Langsamkeit*.

»In der Stadt, in unserem Alltag, sollte diese Übung zwanzig Minuten lang durchgeführt werden. Doch da wir uns auf dem geheimnisvollen Jakobsweg befinden, werden wir eine Stunde brauchen, um bis in das Dorf zu gelangen.«

Die Kälte, die ich inzwischen vergessen hatte, kehrte wieder zurück, und ich blickte Petrus mutlos an. Doch er achtete nicht darauf: Er schulterte seinen Rucksack, und wir begannen die zweihundert Meter in nervtötender Langsamkeit zurückzulegen.

Anfangs blickte ich nur zur Taverne, einem kleinen alten, zweistöckigen Gebäude, über dessen Tür ein hölzernes Schild angebracht war. Wir waren so nah, daß ich sogar das Datum lesen konnte, an dem das Haus gebaut worden war: 1652. Wir bewegten uns, doch es schien so, als kämen wir nicht von der Stelle. Petrus setzte, so langsam es irgend ging, einen Fuß vor den anderen. Ich zog meine Uhr aus dem Rucksack und band sie mir um.

»So wird es nur schlimmer«, sagte er, »denn die Zeit verläuft nicht immer gleich schnell. Wir sind es, die ihren Gang bestimmen.«

Ich begann, ständig auf die Uhr zu sehen, und fand, daß er recht hatte. Je mehr ich auf sie sah, desto langsamer vergingen die Minuten. Ich beschloß, seinen Rat zu befolgen, und steckte die Uhr wieder in die Tasche. Ich versuchte, auf die Landschaft, die Ebene, die Steine, auf die meine Schuhe traten, zu achten, doch ich schaute weiterhin ständig auf die Taverne und war davon überzeugt, daß wir kein bißchen vorangekommen waren. Ich überlegte mir, daß es vielleicht helfen würde, wenn ich mir in Gedanken Geschichten erzählte, doch diese Übung machte mich so nervös, daß ich mich nicht konzentrieren konnte. Irgendwann hielt ich es nicht mehr aus und zog wieder die Uhr aus der Tasche. Aber es waren erst elf Minuten vergangen.

»Mach diese Übung doch nicht zu einer Quälerei, denn das ist nicht ihr Sinn«, sagte Petrus. »Versuch zu genießen, daß du dich in einer Geschwindigkeit bewegst, die du nicht gewohnt bist. Wenn du die Dinge anders als gewohnt

Das Exerzitium der Langsamkeit

Gehe zwanzig Minuten lang halb so schnell wie gewöhnlich. Achte auf alle Details, auf die Leute und die Landschaft um dich herum.
Der beste Augenblick, um diese Übung zu machen, ist die Zeit nach dem Mittagessen.
Wiederhole diese Übung sieben Tage nacheinander.

machst, läßt du zu, daß ein neuer Mensch in dir wächst. Aber die Entscheidung liegt bei dir.«

Der letzte Satz war so freundlich gesagt, daß er mich etwas beruhigte. Wenn es an mir war, zu entscheiden, was ich tun sollte, dann wollte ich das Beste aus dieser Situation machen. Ich ließ in mir einen seltsamen Zustand entstehen, als wäre die Zeit etwas ganz Fernes, das mich nicht interessierte. Ich wurde immer ruhiger und begann die mich umgebenden Dinge mit anderen Augen zu betrachten. Meine Phantasie, die aufbegehrte, als ich angespannt war, arbeitete nun für mich. Ich schaute auf die kleine Stadt vor mir und begann eine Geschichte zu ihr zu erfinden: Ich stellte mir vor, wie sie gebaut worden war, ich malte mir die Pilger aus, die durch sie gezogen waren, die Freude, nach dem kalten Wind der Pyrenäen auf Menschen zu treffen und eine Unterkunft zu finden. Irgendwann vermeinte ich in der Stadt eine starke, geheimnisvolle und weise Gegenwart zu sehen. Meine Phantasie füllte die Ebene mit Rittern und Schlachten. Ich konnte ihre Schwerter in der Sonne blitzen sehen und ihr Kriegsgeschrei hören. Die kleine Stadt war nun nicht mehr der Ort, der meine Seele mit Wein und meinen Körper mit einer Decke wärmen sollte: Er war ein historischer Markstein, ein Werk heldenhafter Menschen, die alles aufgegeben hatten, um sich in dieser Einöde niederzulassen. Dort lag die Welt und umgab mich, und ich begriff, daß ich nur selten auf sie geachtet hatte.

Ehe ich mich versah, standen wir vor der Tür der Taverne, und Petrus forderte mich auf einzutreten. »Der Wein geht auf mich«, sagte er. »Wir werden früh schlafen gehen, denn morgen stelle ich dich einem großen Hexer vor.«

Ich schlief tief und traumlos. Kaum hatte der Tag begonnen, sich über die beiden einzigen Straßen des Städtchens Roncesvalles auszubreiten, da klopfte Petrus an meine Zimmertür. Wir waren im oberen Stockwerk der Taverne untergebracht, die auch als Hotel diente.

Wir tranken Kaffee, aßen Brot mit Olivenöl und brachen dann auf. Ein dichter Nebel hing über dem Ort. Ich begriff, daß Roncesvalles genaugenommen gar keine kleine Stadt war, wie ich geglaubt hatte. Zur Zeit der großen Wallfahrten auf dem Jakobsweg war sie das mächtigste Kloster der ganzen Region, dessen direkter Einfluß sich bis über die Grenzen von Navarra erstreckte. Und es hatte sich nicht verändert: Seine wenigen Gebäude gehörten zu einer Stiftskirche. Das einzige weltliche Gebäude war die Taverne, in der wir abgestiegen waren.

Wir gingen durch den Nebel und traten in die Stiftskirche. Drinnen zelebrierten, in weiße Paramente gekleidet, einige Patres die erste Morgenmesse. Ich verstand kein Wort. Die Messe wurde offenbar auf baskisch gelesen. Petrus setzte sich ganz hinten auf eine Bank und bat mich, neben ihm Platz zu nehmen.

Die Kirche war riesengroß, voller Kunstgegenstände von unschätzbarem Wert. Petrus erklärte mir leise, daß sie mit Schenkungen von Königen und Königinnen von Portugal, Spanien, Frankreich und Deutschland an einer Stelle gebaut worden sei, die Kaiser Karl der Große dazu bestimmt hatte. Die heilige Jungfrau von Roncesvalles auf dem Hochaltar, die ganz aus Silber geformt und deren Gesicht aus edlem Holz geschnitzt war, hielt einen Blumenstrauß aus Edelsteinen in der Hand. Der Weihrauchduft, das gotische Kirchenschiff und die weißgekleideten Patres und ihre Gesänge begannen mich in eine Art Trance zu versetzen, die ich schon während der Rituale der ›Tradition‹ erlebt hatte.

»Und der Hexer?« fragte ich, als mir wieder einfiel, was Petrus am Abend zuvor gesagt hatte.

Petrus wies mit einer Kopfbewegung auf einen hageren Pater mittleren Alters, der eine Brille trug und mit den anderen Mönchen auf den langen Bänken rechts und links des Hochaltars saß. Ein Hexer, der gleichzeitig Pater war! Am liebsten wäre mir gewesen, die Messe wäre sofort zu Ende gegangen, doch wie Petrus mir am Vortage gesagt hatte, sind wir es, die den Rhythmus der Zeit bestimmen: Meine Ungeduld führte dazu, daß die kirchliche Zeremonie mehr als eine Stunde dauerte.

Als die Messe geendet hatte, ließ mich Petrus allein auf der Bank zurück und verschwand in der Tür, durch die die Patres hinausgegangen waren. Ich sah mir eine Weile die Kirche an, fühlte, daß ich irgendein Gebet hätte sprechen müssen, doch ich konnte mich auf nichts konzentrieren. Die Bilder schienen fern, an eine Vergangenheit geheftet, die niemals wiederkehren würde, so wie auch das goldene Zeitalter des Jakobsweges nie wiederkehren würde.

Petrus erschien in der Tür und bedeutete mir wortlos, daß ich ihm folgen solle.

Wir gelangten in einen Garten im Inneren des Klosters, der von einem Kreuzgang umgeben war. In der Mitte des Gartens stand ein Brunnen, und auf seinem Rand saß der Pater mit der Brille.

»Pater Expedito, dieser hier ist der Wallfahrer«, stellte Petrus mich vor.

Der Pater streckte mir seine Hand hin, und ich begrüßte ihn. Dann schwiegen wir. Ich wartete darauf, daß irgend etwas passierte, doch ich hörte nur Hähne in der Ferne krähen und die Rufe der jagenden Sperber. Der Pater blickte mich ausdruckslos an, ähnlich wie Madame Savin, als ich das alte Wort gesagt hatte.

Schließlich, nach einem langen, quälenden Schweigen, sagte Pater Miguel:

»Mir scheint, Sie sind die Stufen der ›Tradition‹ zu früh hinaufgestürmt, mein Bester.«

Ich entgegnete, daß ich bereits 38 Jahre alt sei und die Ordalien alle erfolgreich bestanden hätte.

»Außer einer, der letzten und wichtigsten«, sagte er, indem er mich weiterhin ausdruckslos anstarrte. »Und ohne diese Feuerprobe ist alles, was Sie gelernt haben, bedeutungslos.«

»Deshalb mache ich jetzt die Wallfahrt nach Santiago.«

»Das garantiert überhaupt nichts. Kommen Sie mit mir.«

Petrus blieb im Garten zurück, und ich folgte Pater Miguel. Wir durchquerten Klosterhöfe, kamen an der Stelle vorbei, an der König Sancho der Starke begraben lag, und gelangten zu einer kleinen Kapelle, die abseits der Hauptgebäude lag, die das Kloster von Roncesvalles bildeten.

Die Kapelle war leer, bis auf einen Tisch, ein Buch und ein Schwert. Aber es war nicht meines.

Pater Miguel setzte sich an den Tisch und ließ mich stehen. Dann nahm er einige Kräuter, zündete sie an, und der Raum füllte sich mit Düften. Die Situation erinnerte mich immer mehr an mein Zusammentreffen mit Madame Savin.

»Zuerst einmal werde ich Sie aufklären«, sagte Pater Miguel. »Der Jakobsweg ist nur einer von vier Wegen. Es ist der Weg des Schwertes. Er kann Ihnen Macht geben, aber das reicht nicht.«

»Und welche sind die anderen drei?«

»Ich kenne zumindest noch zwei: den Weg nach Jerusalem, der zugleich der Weg der Kelche oder des Grals ist, der einem die Macht verleiht, Wunder zu tun, und den Weg nach Rom, der auch der Weg der Stäbe genannt wird und einem die Kommunikation mit anderen Welten ermöglicht.«

»Da fehlt noch der Weg der Münzen, um die vier Farben der Tarotkarten zu komplettieren«, scherzte ich. Und Pater Miguel lachte.

»Genau. Dies ist der geheime Weg, den Sie, wenn Sie ihn eines Tages gehen sollten, niemandem verraten dürfen. Aber lassen wir ihn einstweilen außen vor. Wo sind Ihre Jakobsmuscheln?«

Ich öffnete den Rucksack und holte die Muscheln mit dem Bildnis Unserer Jungfrau von der Erscheinung heraus. Er stellte sie auf den Tisch, breitete beide Hände über sie aus, begann sich zu konzentrieren und bat mich, es ihm gleichzutun. Der Duft, der in der Luft lag, wurde immer intensiver. Sowohl der Pater als auch ich hatten die Augen geöffnet, und plötzlich sah ich, daß genau das geschah, was ich damals in Itatiaia gesehen hatte: Die Muscheln leuchteten. Das Leuchten wurde immer stärker, und ich hörte eine geheimnisvolle Stimme aus der Kehle des Pater Miguel klingen, die sagte:

»Dort, wo dein Schatz ist, dort wird dein Herz sein.«

Das war ein Satz aus der Bibel. Die Stimme fuhr fort:

»Dort, wo dein Herz ist, wird die Wiege des zweiten Kommens Jesu Christi sein; wie diese Muscheln ist auch der Wallfahrer auf dem Jakobsweg nur eine Hülle. Wenn die Hülle aufbricht, erscheint das aus Agape bestehende Leben.«

Er zog seine Hände zurück, und die Muscheln hörten auf zu leuchten. Dann schrieb er meinen Namen in das Buch, das auf dem Tisch lag. Auf dem ganzen Jakobsweg habe ich nur drei Bücher gesehen, in die mein Name geschrieben wurde: das Buch von Madame Savin, das des Pater Miguel und das Buch der Macht, in das ich später selber meinen Namen schreiben sollte.

»Das war's«, sagte er. »Sie können mit dem Segen der Jungfrau von Roncesvalles und dem Segen des heiligen Jacobus vom Schwert weiterziehen.«

»Der Jakobsweg wird durch gelbe Punkte angezeigt, die überall in Spanien zu finden sind«, sagte der Pater, während wir zu der Stelle zurückkehrten, an der Petrus auf uns wartete. »Wenn Sie sich irgenwann einmal verlaufen sollten, suchen Sie nach den gelben Zeichen – an Bäumen, auf Steinen, auf Wegweisern –, und Sie werden einen sicheren Ort erreichen.«

»Ich habe einen guten Führer.«

»Dennoch sollten Sie versuchen, sich vor allem auf sich selbst zu verlassen. Damit Sie nicht sechs Tage lang durch die Pyrenäen im Kreis laufen.«

Also kannte der Pater die Geschichte bereits.

Wir kamen zu Petrus und verabschiedeten uns dann voneinander. Petrus und ich verließen Roncesvalles am Vormittag, der Nebel hatte sich schon vollständig aufgelöst. Ein gerader, ebener Weg lag vor uns, und ich bemerkte die gelben Zeichen, von denen Pater Miguel gesprochen hatte. Der Rucksack war jetzt etwas schwerer, denn ich hatte in der Taverne eine Flasche Wein gekauft, obwohl Petrus gemeint hatte, es sei unnötig. Nach Roncesvalles sollten Hunderte kleiner Städte am Weg liegen, und ich würde nur selten unter freiem Himmel schlafen.

»Petrus, Pater Miguel hat vom zweiten Kommen Christi gesprochen, als wäre es etwas, das gerade geschieht.«

»Das tut es auch! Es geschieht ständig, und das ist das Geheimnis deines Schwertes.«

»Außerdem hast du mir erzählt, ich würde einen Hexer treffen, und ich traf auf einen Pater. Was hat die Magie mit der katholischen Kirche zu tun?«

Petrus sagte nur ein einziges Wort.

»Alles.«

Der Schmerz

Dort, genau an dieser Stelle, wurde die Liebe getötet«, sagte der alte Bauer und zeigte auf eine kleine, in die Felsen geschmiegte Einsiedelei.

Wir waren fünf Tage lang gewandert und hatten nur haltgemacht, um zu essen und zu schlafen. Petrus war weiterhin ziemlich zurückhaltend, was sein Privatleben betraf, doch er fragte mich über Brasilien und meine Arbeit aus. Er sagte, er möge mein Land sehr, denn das Bild, das er am besten kannte, sei das von Christus dem Erlöser auf dem Corcovado, wo er mit ausgebreiteten Armen dasteht und nicht am Kreuze leidet. Er wollte alles wissen und fragte mich immer wieder, ob die Frauen so schön seien wie hier. Die Hitze war tagsüber fast unerträglich, und in allen Kneipen und kleinen Städten, in die wir kamen, klagten die Menschen über die Dürre. Wegen der Hitze wanderten wir zwischen zwei und vier Uhr, wenn die Sonne am heißesten brannte, nicht mehr und übernahmen den spanischen Brauch der Siesta.

An jenem Nachmittag hatte sich, während wir in einem Olivenhain rasteten, ein alter Bauer genähert und uns einen Schluck Wein angeboten. Selbst die Hitze hatte ihn nicht von dem jahrhundertealten Brauch dieser Region abbringen können, seinen Wein zu trinken.

»Und wieso wurde dort die Liebe getötet?« fragte ich, denn der Alte schien gern einen Schwatz halten zu wollen.

»Vor vielen hundert Jahren beschloß eine Prinzessin, es war Felícia von Aquitanien, bei der Rückkehr von ihrer Pilgerfahrt nach Compostela, allem zu entsagen und sich hier niederzulassen. Das war die wahre Liebe, denn sie teilte ihr Gut mit den Armen dieser Region und pflegte die Kranken.«

Petrus hatte eine seiner scheußlichen Selbstgedrehten angezündet und lauschte, obwohl äußerlich gleichgültig, aufmerksam der Geschichte des Alten.

»Dann wurde ihr Bruder, der Herzog Guilhaume, ausgesandt, um sie nach Hause zurückzuholen. Doch Felícia weigerte sich. Verzweifelt erdolchte sie der Graf in der kleinen Einsiedelei, die man dort in der Ferne sieht und die sie mit ihren eigenen Händen gebaut hatte, um den Armen beizustehen und Gott zu preisen.

Als er wieder bei Sinnen war und begriff, was er getan hatte, ging der Graf nach Rom, um beim Papst um Vergebung zu bitten. Als Buße verpflichtete ihn der Papst dazu, nach Compostela zu pilgern. Und da geschah etwas Merkwürdiges: Als er von dort zurückkehrte, verspürte er denselben Drang und ließ sich in der Einsiedelei nieder, die seine Schwester gebaut hatte, und kümmerte sich bis in die letzten Tage seines langen Lebens um die Armen.«

»Das ist das Gesetz der Wiederkehr«, lachte Petrus. Der Bauer verstand diese Bemerkung nicht, doch ich wußte genau, was er damit sagen wollte. Während unserer Wanderung hatten wir lange theologische Streitgespräche über die Beziehung Gottes zu den Menschen geführt. Meine These war gewesen, daß innerhalb der ›Tradition‹ Gott immer im Spiel, der Weg aber ein ganz anderer sei als der, den wir auf dem Jakobsweg verfolgten, auf dem es Hexer, dämonische Zigeuner und wundertätige Heilige gab. All dies erschiene mir sehr archaisch, zu sehr mit dem Christentum verbunden und habe nicht die Faszination und die Ekstase, die die Rituale der ›Tradition‹ in mir hervorrufen konnten. Petrus hingegen sagte immer, daß der Jakobsweg ein Weg sei, den jeder Mensch gehen und daß nur ein solcher Weg zu Gott führen könne.

»Du glaubst, daß Gott existiert, und das glaube ich auch«, hatte Petrus gesagt. »Dann existiert Gott für uns beide. Aber wenn jemand nicht an ihn glaubt, so hört er deswegen nicht auf zu existieren, und der Mensch, der nicht glaubt, ist deswegen nicht im Unrecht.«

»Dann hängt Gott also vom Wunsch und der Macht des Menschen ab?«

»Ich hatte einmal einen Freund, der sein ganzes Leben lang ein Trunkenbold gewesen ist, doch er betete jeden Abend drei Ave-Marias, weil ihn seine Mutter von Kindesbeinen an daran gewöhnt hatte. Selbst wenn er vollkommen betrunken nach Haus kam und obwohl er nicht an Gott glaubte, betete dieser Freund immer drei Ave-Marias. Nachdem er gestorben war, fragte ich während eines Rituals der ›Tradition‹ den Geist der Alten, wo sich jetzt mein Freund befände. Der Geist der Alten antwortete mir, daß es ihm gutginge und er von Licht umgeben sei. Obwohl er im Leben keinen Glauben gehabt hatte, hatte ihn sein Werk, das nur in den drei Gebeten bestand, die er aus Pflichtgefühl und ganz automatisch sprach, gerettet.

Für unsere Vorfahren lebte Gott in den Höhlen und in den Gewittern. Nachdem der Mensch entdeckt hatte, daß dies Naturphänomene waren, lebte er in einigen Tieren und in heiligen Wäldern. Es gab eine Epoche, da lebte er nur in den Katakomben der großen Städte der Antike. Doch während dieser ganzen Zeit hat er nie aufgehört, im Herzen des Menschen als Liebe zu fließen.

Heute ist Gott nur noch ein fast wissenschaftlich bewiesener Begriff. Doch wenn die Geschichte an diesem Punkt angelangt ist, macht sie eine Kehrtwendung, und alles beginnt wieder von vorn. Das Gesetz der Wiederkehr. Als Pater Miguel den Satz Christi zitiert hat, indem er sagte, daß dort, wo dein Schatz ist, auch dein Herz sein wird, bezog er sich eben darauf. Wo jemand Gottes Antlitz sehen will, da sieht er es. Und wenn er es nicht sehen will, tut das nichts zur Sache, Hauptsache, sein Werk ist gut. Als Felícia von Aquitanien die Einsiedelei baute und den Armen half, vergaß sie den Gott des Vatikans und offenbarte ihn auf ihre, vielleicht ursprünglichere und weisere Art: in der Liebe. Was das betrifft, hatte der Bauer vollkommen recht, wenn er sagte, die Liebe sei getötet worden.«

Der Bauer, der unserem Gespräch nicht recht folgen konnte, fühlte sich nicht ganz wohl in seiner Haut.

»Das Gesetz der Wiederkehr hat in dem Augenblick gegriffen, als ihr Bruder gezwungen war, ihr Werk fortzuführen, das er unterbrochen hatte. Alles ist erlaubt. Nur eine Offenbarung der Liebe darf nicht unterbrochen werden. Geschieht dies, so ist der, der versucht hat, sie zu zerstören, verpflichtet, sie wieder aufzubauen.«

Ich erklärte, daß in meinem Land das Gesetz der Wiederkehr bedeutete, daß die Mißbildungen und Krankheiten der Menschen die Strafe für in vergangenen Reinkarnationen begangene Fehler seien.

»Unsinn«, meinte Petrus. »Gott ist nicht die Rache, Gott ist die Liebe. Seine einzige Strafe besteht darin, daß er jemanden zwingt, das Werk fortzuführen, das er unterbrochen hat.«

Der Bauer verabschiedete sich mit dem Hinweis, es sei schon spät und er müsse wieder zurück an seine Arbeit. Petrus fand, daß das ein guter Anlaß für uns sei, aufzustehen und unseren Weg fortzusetzen.

»Dies sind doch alles nur eitle Worte«, sagte er, während wir durch den Olivenhain gingen. »Gott ist in allem, was uns umgibt, er muß gefühlt, gelebt werden, und ich versuche hier gerade, ihn zu einem Problem der Logik zu machen, damit du verstehst. Mach weiterhin deine Übung des Langsamgehens, und du wirst seine Gegenwart immer deutlicher erkennen.«

Zwei Tage später mußten wir einen Berg mit dem Namen Alto del Perdón hinaufsteigen. Der Aufstieg dauerte mehrere Stunden, und als wir oben ankamen, sah ich eine Szene, die mich aufbrachte. Eine Gruppe Touristen, deren Autoradios mit voller Lautstärke spielten, sonnte sich und trank Bier. Sie waren auf einer Nebenstraße hier heraufgefahren.

»So ist das nun mal«, sagte Petrus. »Oder hast du geglaubt, daß du hier oben einen der Ritter aus dem *Cid* antreffen würdest, der den nächsten Angriff der Mauren ausspäht?«

Während des Abstiegs machte ich ein letztes Mal die Langsamkeitsübung. Wir befanden uns wieder vor einer weiten Ebene, die von bläulichen Bergen flankiert war und deren niedrig wachsende Vegetation die Dürre versengt hatte. Es gab kaum Bäume, nur steiniges Gelände mit einigen Dornenpflanzen. Am Ende der Übung fragte mich Petrus nach etwas, das meine Arbeit betraf, und erst da merkte ich, daß ich schon lange nicht mehr daran gedacht hatte. Meine Sorgen wegen der Geschäfte, wegen der liegengebliebenen Arbeit waren praktisch verschwunden. Ich war zufrieden, hier zu sein und den Jakobsweg zurückzulegen.

»Irgendwann wirst du das gleiche tun wie Felícia von Aquitanien«, scherzte Petrus, als ich ihm von meinen Gefühlen erzählte. Dann blieb er stehen und bat mich, den Rucksack auf den Boden zu stellen.

»Schau um dich und fixiere deinen Blick auf irgendeinen Punkt«, sagte er.

Ich wählte das Kreuz auf einem Kirchturm, den ich in der Ferne sehen konnte.

»Fixiere diesen Punkt, und versuch dich nur auf das zu konzentrieren, was ich dir sagen werde. Auch wenn du etwas anderes spüren solltest, laß dich nicht ablenken. Tu, was ich dir sage.«

Ich stand ganz entspannt da und hatte den Turm fixiert, als Petrus sich hinter mich stellte und einen Finger unten in meinen Nacken drückte.

»Der Weg, den du zurücklegst, ist der Weg der Macht, und nur die Exerzitien der Macht werden dir beigebracht werden. Die Reise, die zuvor eine Qual gewesen ist, weil du nur ankommen wolltest, beginnt sich nun in eine Freude zu verwandeln, in die Freude an der Suche und am Abenteuer. Damit nährst du etwas sehr Wichtiges, nämlich deine Träume.

Ein Mensch darf nie aufhören zu träumen. Der Traum ist für die Seele, was Nahrung für den Körper bedeutet. Wir müssen häufig in unserem Leben erfahren, wie unsere Träume zerstört und unsere Wünsche nicht erfüllt werden, dennoch dürfen wir nie aufhören zu träumen, sonst stirbt unsere Seele, und die Agape kann nicht in sie eindringen. Viel Blut ist auf dem Feld, das vor dir liegt, geflossen, und einige der grausamsten Schlachten der Reconquista wurden hier geschlagen. Es ist nicht wichtig zu wissen, wer das Recht oder die Wahrheit auf seiner Seite hatte: Wichtig ist, daß beide Seiten den guten Kampf kämpften.

Der gute Kampf ist der, den wir kämpfen, weil unser Herz es so will. Zu den heroischen Zeiten der fahrenden Ritter war dies noch einfach. Es gab viel Land zu erobern und viel zu tun. Heute sieht die Welt ganz anders aus, und der gute Kampf wurde von den Schlachtfeldern in unser Inneres verlegt.

Der gute Kampf ist der, den wir im Namen unserer Träume führen. Wenn sie mit aller Macht in unserer Jugend aufflammen, haben wir zwar viel Mut, doch wir haben noch nicht zu kämpfen gelernt. Wenn wir aber unter vielen Mühen zu kämpfen gelernt haben, hat uns der Kampfesmut verlassen. Deshalb wenden wir uns gegen uns selber und werden zu unseren schlimmsten Feinden. Wir sagen, daß unsere Träume Kindereien, zu schwierig zu verwirklichen seien oder nur daher rührten, daß wir von den Realitäten des Lebens keine Ahnung hätten. Wir töten unsere Träume, weil wir Angst davor haben, den guten Kampf aufzunehmen.«

Der Druck, den Petrus' Finger auf meinen Nacken aus-
übte, wurde stärker. Es kam mir so vor, als hätte sich der
Kirchturm verändert. Die Umrisse des Kreuzes sahen aus
wie ein Mensch mit Flügeln. Ein Engel. Ich blinzelte, und
das Kreuz war wieder ein Kreuz.

»Das erste Symptom dafür, daß wir unsere Träume töten,
ist, daß wir nie Zeit haben«, fuhr Petrus fort. »Die meistbe-
schäftigten Menschen, die ich in meinem Leben kennengelernt habe, waren zugleich auch die, die immer für alles Zeit
hatten. Diejenigen, die nichts taten, waren immer müde, be-
merkten nicht, wie wenig sie schafften, und beklagten sich
ständig darüber, daß der Tag zu kurz sei. In Wahrheit hatten sie Angst davor, den guten Kampf zu kämpfen.

Das zweite Symptom dafür, daß unsere Träume tot sind,
sind unsere Gewißheiten. Weil wir das Leben nicht als ein
großes Abenteuer sehen, das es zu leben gilt, glauben wir
am Ende, daß wir uns in dem wenigen, was wir vom Leben
erbeten haben, weise, gerecht und korrekt verhalten. Wir lu-
gen nur über die Mauern unseres Alltags und hören das Geräusch der zerbrechenden Lanzen, riechen den Geruch von
Schweiß und Pulver, sehen, wie die Krieger stürzen, blicken
in ihre eroberungshungrigen Augen. Doch die Freude, die
unendliche Freude im Herzen dessen, der diesen Kampf
kämpft, weil für ihn weder der Sieg noch die Niederlage
zählt, nur der Kampf an sich, die bleibt uns fremd.

Das dritte Symptom für den Tod unserer Träume ist
schließlich der Friede. Das Leben wird zu einem einzigen
Sonntagnachmittag, verlangt nichts Großes von uns, will
nie mehr von uns, als wir zu geben bereit sind. Wir halten
uns dann für reif, glauben, daß wir unsere kindischen Phan-

tasien überwunden und die Erfüllung auf persönlicher und beruflicher Ebene erlangt haben. Wir reagieren überrascht, wenn jemand in unserem Alter sagt, daß er noch dies oder das vom Leben erwartet. Aber in Wahrheit, ganz tief im Inneren unseres Herzens, wissen wir, daß wir es in Wirklichkeit nur aufgegeben haben, um unsere Träume zu kämpfen, den guten Kampf zu führen.«

Der Kirchturm veränderte sich ständig, und an seiner Stelle erschien nun ein Engel mit ausgebreiteten Flügeln. Doch soviel ich auch blinzelte, die Gestalt verschwand nicht wieder. Ich wollte mit Petrus sprechen, doch ich spürte, daß er noch nicht geendet hatte.

»Wenn wir auf unsere Träume verzichten und den Frieden finden«, sagte er nach einer Weile, »erleben wir eine kurze Zeit der Ruhe. Doch die toten Träume beginnen in uns zu verwesen, und sie verseuchen, was uns umgibt. Wir beginnen grausam zu den Menschen um uns herum zu werden, und am Ende richten wir diese Grausamkeit gegen uns selber. Dann tauchen Krankheiten und Psychosen auf. Was wir im Kampf vermeiden wollten – die Enttäuschung und die Niederlage –, wird zum einzigen Vermächtnis unserer Feigheit. Und eines schönen Tages haben die toten und verwesten Träume die Luft so verpestet, daß wir nicht mehr atmen können und nur noch den Tod ersehnen, den Tod, der uns von unseren Gewißheiten, unseren Sorgen und von diesem fürchterlichen Sonntagnachmittagsfrieden erlöst.«

Jetzt war ich mir sicher, daß ich wirklich einen Engel sah, und konnte den Worten von Petrus nicht mehr folgen. Er mußte dies gemerkt haben, denn er nahm den Finger von meinem Nacken und hörte auf zu sprechen. Das Bild des

Engels blieb noch für einige Augenblicke und verschwand dann. An seiner Stelle erschien wieder der Kirchturm.

Wir schwiegen einige Minuten lang. Petrus rollte sich eine Zigarette und begann zu rauchen. Ich zog die Flasche aus dem Rucksack und trank einen Schluck Wein. Er war zwar warm, doch er schmeckte gut.

»Was hast du gesehen?« fragte er mich.

Ich erzählte ihm vom Engel. Sagte, daß anfangs die Erscheinung verschwand, wenn ich blinzelte.

»Auch du mußt lernen, den guten Kampf zu kämpfen. Du hast bereits gelernt, das Abenteuer und die Herausforderungen des Lebens anzunehmen, doch das Außergewöhnliche willst du noch immer verneinen.«

Petrus zog einen kleinen Gegenstand aus dem Rucksack und gab ihn mir. Es war eine goldene Nadel.

»Dies war ein Geschenk meines Großvaters. In der R.A.M.-Bruderschaft besaßen alle Alten einen solchen Gegenstand. Er heißt ›Die Nadel des Schmerzes‹. Als dir der Engel auf dem Kirchturm erschien, wolltest du ihn leugnen. Weil es sich um etwas handelte, das du nicht gewohnt warst. In deiner Sicht der Welt sind Kirchen Kirchen, und Visionen können nur in von den Ritualen der ›Tradition‹ hervorgerufenen Ekstasen vorkommen.«

Ich entgegnete, daß meine Vision das Ergebnis des Drucks gewesen sein müsse, den er auf meinen Nacken ausgeübt hatte.

»Da hast du ganz recht, aber das ändert nichts. Tatsache ist, daß du die Erscheinung abgewiesen hast. Felícia von Aquitanien muß etwas Ähnliches gesehen haben und hat ihr ganzes Leben auf das gesetzt, was sie gesehen hat: Das Ergebnis war, daß sie ihr Werk in Liebe verwandelt hat. Das gleiche muß mit ihrem Bruder geschehen sein. Was mit dir geschehen ist, das geschieht jeden Tag mit allen Menschen: Wir sehen immer den besseren Weg, doch beschreiten nur den, den wir gewohnt sind.«

Petrus nahm die Wanderung wieder auf, und ich folgte ihm. Die Sonnenstrahlen ließen die Nadel in meiner Hand aufblitzen.

»Wir werden unsere Träume nur dann retten können, wenn wir zu uns selber großzügig sind. Jede Art von Selbstbestrafung, so subtil sie auch sein mag, muß streng geahndet werden. Um zu wissen, ob wir uns selber seelische Schmerzen zufügen, müssen wir jede Versuchung dazu, wie zum Beispiel Schuldgefühle, Gewissensbisse, Unentschlossenheit und Feigheit, in physischen Schmerz umwandeln. Indem wir einen seelischen Schmerz in physischen Schmerz verwandeln, erfahren wir, welchen Schaden er uns zufügen kann.«

Und Petrus lehrte mich das *Exerzitium des Schmerzes*.

»Früher benutzten sie eine goldene Nadel dazu«, sagte er. »Heute haben sich die Dinge verändert wie mittlerweile die Landschaft auf der Jakobsstraße.«

Petrus hatte recht. Von unten gesehen hatte die Ebene vor mir wie eine Hügelkette gewirkt.

»Denk an irgend etwas Schmerzliches, das du dir heute selber zugefügt hast. Und mach die Übung.«

Ich konnte mich an gar nichts erinnern.

»Das ist immer so. Es gelingt uns nur an den wenigen Malen, großzügig mit uns selber zu sein, wo wir eigentlich streng mit uns sein sollten.«

DAS EXERZITIUM DES SCHMERZES

*Immer wenn dir ein Gedanke durch den Kopf
geht, der dir schadet – Eifersucht, Selbstmitleid,
Liebeskummer, Neid, Haß usw. –, dann tue folgendes:*

*Grabe den Nagel des Zeigefingers tief in das
Nagelbett des Daumens, bis der Schmerz sehr
intensiv ist. Konzentriere dich auf den Schmerz:
Er spiegelt auf der körperlichen Ebene das Leiden wider, das du auf seelischer Ebene empfin-
dest. Lockere den Druck erst, wenn der Gedanke
aus deinem Kopf verschwunden ist.*

*Wiederhole dies, bis der Gedanke dich verläßt,
notfalls mehrfach hintereinander. Bei jedem Mal
wird es länger dauern, bis der Gedanke wieder-
kehrt, und er wird ganz verschwinden, wenn du
nicht aufgibst, jedesmal, wenn er kommt, den
Fingernagel in die Nagelwurzel zu graben.*

Plötzlich fiel mir ein, daß ich mich für einen Idioten gehalten hatte, weil ich so mühsam den Alto del Perdón hinaufgestiegen war, während diese Touristen den einfacheren Weg genommen hatten. Ich wußte, daß dies nicht stimmte, daß ich nur grausam zu mir selber gewesen war. Die Touristen waren auf der Suche nach Sonne, ich hingegen auf der Suche nach meinem Schwert. Ich war kein Idiot und hatte mich dennoch wie einer gefühlt. Ich grub den Nagel meines Zeigefingers kräftig in die Nagelwurzel des Daumens. Ich spürte einen heftigen Schmerz, und während ich mich auf den Schmerz konzentrierte, verschwand dieses Gefühl, ich sei ein Idiot.

Ich erzählte das Petrus, und er lachte, ohne etwas dazu zu sagen.

In jener Nacht blieben wir in einem gemütlichen Hotel der kleinen Stadt, deren Kirche ich aus der Ferne gesehen hatte. Nach dem Abendessen beschlossen wir, einen kleinen Verdauungsspaziergang zu machen.

»Von allen Dingen, auf die der Mensch gekommen ist, um sich selbst weh zu tun, ist das schlimmste die Liebe. Wir leiden ständig, weil jemand uns nicht liebt, weil jemand uns verlassen hat, weil jemand nicht von uns läßt. Wenn wir ledig sind, dann nur, weil uns niemand will, sind wir verheiratet, machen wir aus der Ehe Sklaverei. Schrecklich!« meinte er grimmig.

Wir gelangten auf einen kleinen Platz, an dem die Kirche lag, die ich gesehen hatte. Sie war klein und schlicht. Ihr Glockenturm ragte in den Himmel. Ich versuchte den Engel noch einmal zu sehen. Doch es klappte nicht.

Petrus sah zum Kreuz hinauf. Ich dachte, er sähe den

Engel. Doch dem war nicht so. Er begann sogleich mit mir zu reden.

»Als Gottes Sohn auf die Erde kam, brachte Er die Liebe. Aber da die Menschen Liebe immer mit Leiden und Opfer gleichsetzen, haben sie Ihn am Ende gekreuzigt. Wäre es nicht so, würde niemand an Seine Liebe glauben, denn alle sind gewohnt, täglich an ihren Leidenschaften zu leiden.«

Wir setzten uns auf den Bordstein und blickten weiter auf die Kirche. Wieder einmal war es Petrus, der das Schweigen brach.

»Weißt du, was Barabbas heißt, Paulo? *Bar* heißt Sohn, und *Abba* heißt Vater.«

Er starrte auf das Kreuz auf dem Glockenturm. Dabei leuchteten seine Augen, und ich spürte, daß er von etwas erfüllt war, vielleicht von dieser Liebe, über die er so viel sprach, doch ich verstand ihn nicht recht.

»Wie weise ist doch der Ratschluß Gottes!« sagte er, und seine Stimme schallte über den Platz. »Als Pilatus das Volk bat zu wählen, ließ er ihm im Grunde keine Wahl. Er zeigte einen gepeinigten, zerstörten Mann und einen anderen, der das Haupt erhoben trug, Barabbas, den Revolutionär. Gott wußte, daß, damit Er Seine Liebe beweisen konnte, das Volk den Schwächeren in den Tod schicken würde.«

Und er schloß:

»Und dennoch, wen immer das Volk auch wählen würde, immer würde der Sohn des Vaters am Ende gekreuzigt werden.«

Der Bote

Und hier vereinigen sich alle Jakobswege zu einem einzigen.«

Es war noch früh am Morgen, als wir in Puente la Reina ankamen. Der Satz stand auf dem Sockel der Statue eines Pilgers in mittelalterlichem Gewand, mit einem Dreispitz, einem Umhang, den Kammuscheln, dem Stab und der Kalebasse in der Hand, und er erinnerte die Vorübergehenden an die Tradition eines Weges, die Petrus und ich wieder aufleben ließen.

Wir hatten die vorangegangene Nacht in einem der vielen Klöster verbracht, die entlang des Weges liegen. Der Bruder Pförtner hatte uns gleich zum Empfang darauf aufmerksam gemacht, daß innerhalb der Mauern dieser Abtei kein Wort gesprochen werden durfte. Ein junger Mönch führte jeden in seine Zelle, in der es nur das Notwendigste gab: ein hartes Bett, alte, aber saubere Bettücher, einen Wasserkrug und eine Schüssel für die persönliche Hygiene. Es gab kein fließendes Wasser, schon gar kein heißes, und die Essenszeiten waren innen an der Tür angeschlagen.

Zur angegebenen Stunde stiegen wir hinunter zum Refektorium. Wegen des Schweigegelübdes verständigten sich die Mönche nur mit Blicken, und ich hatte das Gefühl, daß ihre Augen strahlender waren als die gewöhnlicher Menschen. Das Abendessen wurde früh an langen Tischen serviert, an denen wir mit den Mönchen in ihren braunen Kutten saßen. Von seinem Platz aus machte mir Petrus ein Zeichen, das ich sehr wohl verstand: Er konnte es kaum erwarten, sich eine Zigarette anzuzünden, doch es sah so aus, als sollte er die ganze Nacht seinen Wunsch nicht befriedigen können. Mir ging es genauso, und ich grub den Fingernagel in die Nagelwurzel des Daumens, fast bis ins Fleisch. Der Augenblick war zu schön, um irgendwelche schmerzlichen Gefühle bei mir zuzulassen.

Das Abendessen wurde aufgetragen: Gemüsesuppe, Brot, Fisch und Wein. Alle beteten, und wir stimmten in ihr Gebet ein. Während wir aßen, las der Bruder Vorleser mit monotoner Stimme Passagen aus dem 1. Korintherbrief des heiligen Paulus.

»Sondern was töricht ist vor der Welt, das hat Gott erwählt, daß er die Weisen zuschanden mache; und was schwach ist vor der Welt, das hat Gott erwählt, daß er zuschanden mache, was stark ist«, sprach der Mönch mit leiser, gleichförmiger Stimme. »Wir sind Narren um Christi willen. Wir sind stets wie ein Fluch der Welt und ein Fegopfer aller Leute. Aber das Reich Gottes steht nicht in Worten, sondern in Kraft.«

Paulus' Mahnungen an die Korinther hallten während der ganzen Mahlzeit an den nackten Wänden des Refektoriums wider.

Als wir in Puente la Reina anlangten, sprachen wir gerade über die Mönche der vergangenen Nacht. Ich gestand Petrus, daß ich heimlich, halbtot vor Angst, jemand könnte den Zigarettenrauch riechen, in meiner Zelle geraucht habe. Er lachte, und mir war klar, daß er das gleiche getan hatte.

»Johannes der Täufer ging in die Wüste, doch Jesus schloß sich den Sündern an und reiste sein ganzes Leben lang«, sagte er. »Mir ist das lieber. In der Tat hatte Jesus, die Zeit in der Wüste einmal ausgenommen, sein ganzes Leben unter Menschen verbracht. Zudem bestand sein erstes Wunder nicht darin, die Seele eines Menschen zu retten oder eine Krankheit zu heilen oder einen Dämon auszutreiben. Es bestand darin, bei einer Hochzeit, weil dem Hausherrn der Wein ausgegangen war, Wasser in einen ausgezeichneten Wein zu verwandeln.«

Kaum hatte er dies gesagt, da blieb Petrus so plötzlich stehen, daß ich ebenfalls erschreckt innehielt. Wir standen an der Brücke, die der kleinen Stadt ihren Namen gab. Petrus schaute jedoch nicht auf den Weg, sondern auf zwei Jungen, die am Ufer des Flusses mit einem Ball spielten. Sie mochten acht oder neun Jahre alt sein und schienen uns nicht bemerkt zu haben. Anstatt über die Brücke zu gehen, stieg Petrus den Abhang zu den Jungen hinunter, und ich folgte ihm wie immer, ohne eine Frage zu stellen.

Die Jungen hatten uns noch immer nicht bemerkt. Petrus setzte sich und schaute ihrem Spiel zu, bis der Ball ganz in seiner Nähe landete. Mit einer schnellen Bewegung nahm er den Ball und warf ihn mir zu. Ich hielt den Ball in der Luft und wartete auf das, was geschehen würde. Der ältere der beiden Jungen näherte sich mir. Meine erste Regung war, ihm dem Ball zurückzugeben, doch Petrus' Verhalten war so ungewöhnlich gewesen, daß ich beschloß abzuwarten, was nun geschehen würde.

»Geben Sie mir den Ball«, sagte der Junge.

Ich blickte auf die kleine Gestalt, die zwei Meter von mir entfernt stand. Irgend etwas kam mir an dem Jungen bekannt vor, so wie damals an dem Zigeuner.

Der Junge ließ nicht locker, doch als er merkte, daß ich ihm keine Antwort gab, bückte er sich und nahm einen Stein.

»Geben Sie mir den Ball, oder ich werfe diesen Stein«, sagte er.

Petrus und der Junge beobachteten mich schweigend. Die Aggressivität des Jungen ärgerte mich.

»Nun wirf ihn schon«, antwortete ich. »Wenn er mich trifft, kriegst du eine gelangt.«

Ich spürte, wie Petrus erleichtert aufatmete. Irgend etwas drängte aus den tiefsten Tiefen meines Geistes ins Bewußtsein. Mir war so, als hätte ich diese Szene schon einmal erlebt.

Der Junge erschrak über meine Antwort, ließ den Stein fallen und versuchte es auf anderem Weg.

»Hier in Puente la Reina gibt es einen Reliquienschrein, der einem steinreichen Pilger gehört hat. An der Muschel sehe ich, daß Sie beide auch Pilger sind. Wenn Sie mir den Ball wiedergeben, gebe ich Ihnen den Reliquienschrein. Er ist hier am Ufer des Flusses im Sand versteckt.«

»Ich will den Ball haben«, sagte ich. Aber ganz überzeugt war ich nicht, denn im Grunde wollte ich durchaus den Reliquienschrein haben. Der Junge schien die Wahrheit zu sagen. Doch vielleicht brauchte Petrus den Ball für irgend etwas, und ich konnte ihn unmöglich enttäuschen. Schließlich war er mein Führer.

»Sie brauchen diesen Ball nicht«, sagte der Junge, fast mit Tränen in den Augen. »Sie sind stark und weitgereist. Sie kennen die Welt. Ich kenne nur das Ufer dieses Flusses, und mein einziges Spielzeug ist dieser Ball. Geben Sie mir bitte diesen Ball zurück.«

Die Worte des Jungen gingen mir ans Herz. Doch diese merkwürdige Vertrautheit, dieses Gefühl, alles schon einmal erlebt zu haben, ließ mich ein weiteres Mal widerstehen.

»Nein. Ich brauche den Ball. Ich werde dir Geld geben, damit du dir einen neuen, schöneren als den hier kaufen kannst. Aber dieser Ball gehört mir.«

Als ich dies gesagt hatte, schien die Zeit stillzustehen. Die Landschaft um mich herum veränderte sich, ohne daß Petrus seinen Daumen in meinen Nacken preßte. Es war so, als wären wir in eine ferne, graue Wüste versetzt worden. Weder Petrus noch der andere Junge war dort. Nur ich und der Junge vor mir, der jetzt älter war, sympathisch aussah, in dessen Augen jedoch etwas blitzte, das mir angst machte.

Diese Vision dauerte nicht länger als eine Sekunde. Im Augenblick darauf war ich wieder in Puente la Reina, wo sich viele Wege nach Santiago aus den verschiedensten Richtungen Europas zu einem Weg bündelten. Vor mir stand ein Junge, der mich um einen Ball bat und sanfte, traurige Augen hatte.

Petrus stand auf, nahm mir den Ball ab und gab ihn dem Jungen zurück.

»Wo ist der Reliquienschrein, den du mir versprochen hast?« fragte Petrus den Jungen.

»Was für ein Reliquienschrein?« entgegnete der Junge,

während er seinen Freund bei der Hand nahm, von uns weglief und ins Wasser sprang.

Wir stiegen den Steilhang wieder hinauf und gingen nun über die Brücke. Ich begann Petrus Fragen zu dem zu stellen, was eben geschehen war, erzählte ihm von der Wüste, doch Petrus wechselte das Thema und sagte, wir könnten darüber reden, wenn wir etwas weiter weg wären.

Eine halbe Stunde später gelangten wir an einen Teil des Weges, auf dem noch Reste des alten römischen Pflasters vorhanden waren. Dort gab es eine weitere, verfallene Brücke. Wir setzten uns, um das Frühstück zu uns zu nehmen, das uns die Mönche mitgegeben hatten: Roggenbrot, Joghurt und Ziegenkäse.

»Weshalb wolltest du unbedingt den Ball des Jungen haben?« fragte Petrus.

Ich entgegnete, daß ich den Ball gar nicht hätte haben wollen. Daß ich so gehandelt hätte, weil er, Petrus, sich so merkwürdig verhalten habe. Als wäre der Ball für ihn etwas sehr Wichtiges.

»Und das war er in der Tat. Er hat ermöglicht, daß du siegreich aus dem Kampf mit deinem persönlichen Dämon hervorgehen konntest.«

Mein persönlicher Dämon? So etwas Absurdes hatte ich auf der ganzen Wanderung noch nicht gehört. Sechs Tage lang war ich kreuz und quer durch die Pyrenäen gelaufen, hatte einen Pater kennengelernt, der zwar Hexer war, aber nicht gehext hatte, und mein Finger war völlig wund, weil ich immer, wenn ich etwas für mich Schmerzliches dachte – Hypochondrisches, Schuldgefühle, Minderwertigkeitskomplexe –, den Fingernagel in meine Wunde hatte graben müssen. Was das betraf, da hatte Petrus recht: Meine negativen Gedanken waren entschieden weniger geworden. Doch diese Geschichte von meinem persönlichen Dämon schien mir doch etwas merkwürdig. Und ich würde das auch so schnell nicht glauben.

»Heute, bevor wir über die Brücke gingen, fühlte ich die Gegenwart von jemandem, der uns warnen wollte. Doch die Warnung galt eher dir denn mir. Ein Kampf würde sich schon bald ereignen, und es war an dir, den guten Kampf zu führen.

Kennt man seinen persönlichen Dämon nicht, offenbart er sich für gewöhnlich in der nächstbesten Person. Ich schaute um mich und sah unten die Jungen spielen. Und ich folgerte daraus, daß er dir dort eine Warnung geben würde. Doch es war nur eine Ahnung. Gewißheit, daß es dein persönlicher Dämon war, hatte ich erst in dem Augenblick, als du dich geweigert hast, den Ball zurückzugeben.«

Ich sagte ihm, ich hätte das nur getan, weil ich dachte, er wolle es so.

»Wieso ich? Ich habe zu keinem Zeitpunkt auch nur ein Wort gesagt.«

Mir wurde leicht schwindelig. Vielleicht lag es am Essen, das ich zu schnell in mich hineingestopft hatte, nachdem wir fast eine Stunde mit nüchternem Magen gewandert waren. Gleichzeitig wurde ich dieses Gefühl nicht los, daß ich den Jungen irgendwie kannte.

»Dein persönlicher Dämon hat es auf die drei klassischen Methoden versucht: Er hat dir gedroht, er hat dir etwas versprochen, und er hat deine empfindliche Seite getroffen. Meinen Glückwunsch, du hast mit Bravour widerstanden.«

Jetzt erinnerte ich mich daran, daß Petrus den Jungen nach dem Reliquienschrein gefragt hatte. Damals hatte ich gedacht, daß der Junge versucht hatte, mich zu betrügen. Doch es mußte tatsächlich dort einen verborgenen Reliquienschrein geben, denn ein Dämon macht niemals falsche Versprechungen.

»Der Junge konnte sich nicht an den Reliquienschrein erinnern, weil dein persönlicher Dämon bereits verschwunden war.«

Und ohne zu zögern, sagte er:

»Du mußt ihn jetzt bitten wiederzukommen. Du wirst ihn brauchen.«

Wir saßen auf der alten verfallenen Brücke. Petrus sammelte sorgfältig die Speisereste zusammen und steckte sie in die Papiertüte, die uns die Mönche gegeben hatten. Auf dem Feld vor uns begannen die Bauern von der Arbeit zurückzukommen, doch sie waren noch so weit von uns entfernt, daß man nicht hören konnte, was sie sagten. Das Gelände war hügelig, und die bestellten Äcker bildeten in der Landschaft geheimnisvolle Muster. Der von der Dürre fast ausgetrocknete Bach unter uns floß beinahe lautlos dahin.

»Bevor er in die Welt ging, sprach Jesus in der Wüste mit seinem persönlichen Dämon«, begann Petrus. »Er lernte von ihm, was er über den Menschen wissen mußte, doch er ließ nicht zu, daß der Dämon die Spielregeln aufstellte, und so besiegte er ihn.

Ein Dichter hat irgendwann einmal gesagt, daß kein Mensch eine Insel sei. Um den guten Kampf zu führen, brauchen wir Hilfe. Wir brauchen Freunde, und wenn gerade keine Freunde bei uns sind, müssen wir die Einsamkeit zu unserer wichtigsten Waffe machen. Alles, was uns umgibt, muß uns helfen, die notwendigen Schritte auf unser Ziel hin zu tun. Alles muß eine persönliche Manifestation unseres Willens sein, den guten Kampf zu gewinnen, andernfalls werden wir zu hochmütigen Kriegern. Und unser Hochmut wird uns am Ende besiegen, weil wir unserer selbst so sicher sind, daß wir den Hinterhalt auf dem Schlachtfeld nicht bemerken werden.«

Die Geschichte mit den Kriegern und den Kämpfen erinnerte mich erneut an Don Juan von Carlos Castañeda. Ich fragte mich, ob der alte indianische Hexer seine Lektionen morgens erteilte, bevor sein Schüler sein erstes Frühstück verdaut hatte. Doch Petrus fuhr fort.

»Neben den physischen Kräften, die uns umgeben und helfen, gibt es zwei bedeutende spirituelle Kräfte an unserer Seite: einen Engel und einen Dämon. Der Engel beschützt uns immer, und er ist ein Geschenk Gottes. Man braucht ihn nicht zu rufen. Das Antlitz deines Engels wird immer sichtbar sein, wenn du die Welt mit offenem Blick betrachtest. Es ist dieser Bach, die Bauern auf dem Feld, dieser blaue Himmel. Diese alte Brücke, die uns hilft, das Wasser zu überqueren, und die hier von den Händen namenloser römischer Legionäre errichtet wurde, auch diese Brücke ist das Antlitz deines Engels. Unsere Großeltern nannten ihn Schutzengel.

Auch der Dämon ist ein Engel, doch er ist eine freie, rebellische Kraft. Ich nenne ihn lieber den Boten, denn er ist die Hauptverbindung zwischen uns und der Welt. In der Antike wurde er durch Merkur dargestellt, durch Hermes Trismegistos, den Götterboten. Er agiert nur auf der materiellen Ebene. Er ist im Gold der Kirche, weil das Gold aus der Erde, seinem Herrschaftsbereich, stammt. Er ist in unserer Arbeit und in unserer Beziehung zum Geld. Wenn er frei und ungebunden ist, hat er die Tendenz, sich zu zersplittern. Treiben wir ihn aus, verlieren wir all das Gute, was wir von ihm lernen können, denn er kennt die Welt und die Menschen. Sind wir von seiner Macht zu sehr angezogen, ergreift er Besitz von uns und hält uns vom guten Kampf ab.

Daher ist die einzig richtige Art, mit unserem Boten umzugehen, ihn zu unserem Freund zu machen, seinen Rat anzuhören und um seine Hilfe zu bitten, wenn wir sie brauchen. Doch wir dürfen nie zulassen, daß er uns seine Regeln aufzwingt. So wie du es mit dem Jungen getan hast. Dazu mußt du allerdings genau wissen, was du willst. Dann erst wirst du sein Antlitz sehen und seinen Namen erfahren.«

»Und wie erfahre ich den?« fragte ich.

Da lehrte Petrus mich das *Ritual des Boten*.

»Mache es am besten abends, weil es dann einfacher ist. Heute, bei seiner ersten Begegnung mit dir, wird er dir seinen Namen enthüllen. Dieser Name ist ein Geheimnis, und niemand darf ihn erfahren, nicht einmal ich. Wer den Namen deines Boten kennt, kann ihn zerstören.«

Petrus erhob sich, und wir machten uns wieder auf den Weg. Es dauerte nicht lange, da waren wir an dem Feld angelangt, das die Bauern bestellten. Wir wechselten einige »Buenos dias« mit ihnen und gingen weiter.

»Wenn ich es bildlich darstellen wollte, würde ich sagen, daß der Engel deine Rüstung und der Bote dein Schwert ist. Eine Rüstung schützt jederzeit, doch ein Schwert kann inmitten der Schlacht zu Boden fallen, einen Freund töten oder sich gegen seinen Besitzer wenden. Im übrigen dient ein Schwert für fast alles, nur darauf setzen kann man sich nicht«, sagte er und fing laut an zu lachen.

Wir machten zum Mittagessen in einem Dorf halt. Der junge Mann, der uns bediente, hatte sichtlich schlechte Laune. Er antwortete nicht auf unsere Fragen, knallte uns das Essen auf den Tisch, und am Ende schaffte er es sogar noch, etwas Kaffee auf Petrus' Bermudas zu schütten. Ich erlebte dann staunend, wie mein Führer sich veränderte: Wütend rief er den Wirt und beschwerte sich laut über die Ungehörigkeit des jungen Mannes. Schließlich ging er in den Waschraum, um sein zweites Paar Bermudas anzuziehen, während der Wirt den Kaffeefleck auswusch und die alte Hose zum Trocknen aufhängte.

Während wir darauf warteten, daß die Mittagssonne ihre Pflicht tat und Petrus' Bermudas trocknete, dachte ich über alles nach, was wir am Vormittag geredet hatten. In der Tat machte alles, was Petrus über den Jungen gesagt hatte, Sinn. Zudem hatte ich die Vision einer Wüste und eines Gesichtes gehabt. Doch diese Geschichte vom Boten erschien mir nun doch etwas archaisch. Wir befanden uns mitten im 20. Jahrhundert, und Begriffe wie Hölle, Sünde und Dämon waren für jeden halbwegs intelligenten Menschen sinnentleert. Innerhalb der ›Tradition‹, deren Lehren ich sehr viel länger gefolgt war als dem Jakobsweg, war der Bote, der hier (völlig wertfrei) Dämon genannt wurde, ein Geist, der die Kräfte der Erde beherrschte und immer auf seiten des Menschen stand. Man bediente sich seiner häufig bei magi-

DAS RITUAL DES BOTEN

1. Setze dich nieder und entspanne dich vollkommen. Lasse deine Gedanken schweifen, wohin sie wollen. Nach einer Weile beginne dir selbst immer wieder zu sagen: »Ich bin jetzt ganz entspannt, und meine Augen schlafen den Schlaf der Welt.«

2. Wenn du spürst, daß dein Geist sich mit nichts mehr beschäftigt, stelle dir eine Feuersäule zu deiner Rechten vor. Lasse die Flammen lodern und strahlen. Dann sage leise: »Ich befehle meinem Unterbewußtsein, sich zu manifestieren. Es möge sich mir öffnen und seine magischen Geheimnisse preisgeben.« Warte ein bißchen und konzentriere dich dabei nur auf die Feuersäule. Taucht irgendein Bild auf, dann ist es eine Manifestation deines Unterbewußtseins. Versuche es zu behalten.

3. Lasse die Feuersäule zu deiner Rechten weiter bestehen und fange dann an, dir eine weitere Feuersäule zu deiner Linken vorzustellen. Wenn die Flammen lodern, sage leise folgende Worte: »Möge die Kraft des Lammes, die sich in allen und in allem manifestiert, sich auch in mir mani-

festieren, während ich meinen Boten rufe. [Name des Boten] erscheine mir jetzt.«

4. Rede mit deinem Boten, der sich zwischen beiden Säulen zeigen wird. Besprich mit ihm ein bestimmtes Problem, bitte ihn um Rat, und gib ihm die notwendigen Anweisungen.

5. Ist euer Gespräch zu Ende, verabschiede den Boten mit folgenden Worten: »Ich danke dem Lamm für das Wunder, das ich getan habe. Möge [Name des Boten] immer wiederkehren, wenn ich ihn rufe, und wenn er fern ist, möge er mir helfen, mein Werk zu vollbringen.«

Anmerkung: Bei der ersten Anrufung beziehungsweise den ersten Anrufungen – und das richtet sich nach der Konzentrationsfähigkeit dessen, der das Ritual vollführt – soll der Name des Boten nicht genannt werden. Sage nur »er«. Wird das Ritual richtig durchgeführt, sollte der Bote seinen Namen sofort durch Telepathie enthüllen. Falls dies nicht geschieht, gib nicht auf, bis du seinen Namen erfährst. Erst dann beginnt das Gespräch. Je häufiger das Ritual wiederholt wird, desto stärker wird die Anwesenheit des Boten sein, und desto schneller wird er handeln.

schen Handlungen, doch nie als eines Verbündeten oder Ratgebers in Alltagsdingen.

Petrus hatte mir zu verstehen gegeben, daß ich die Freundschaft des Boten benutzen könnte, um in meiner Arbeit und in der Welt voranzukommen. Ganz abgesehen davon, daß diese Vorstellung profan war, erschien sie mir zudem noch kindlich.

Doch ich hatte bei Madame Savin vollkommenen Gehorsam geschworen. Und wieder einmal mußte ich den Fingernagel in den Daumen graben, der inzwischen eine offene Wunde war.

»Ich hätte mich nicht aufregen dürfen«, sagte Petrus, kaum daß wir hinausgegangen waren. »Schließlich hatte er den Kaffee nicht auf mich, sondern auf die Welt gekippt, die er haßt. Er weiß, daß es jenseits der Grenzen seiner Vorstellung eine riesige Welt gibt, und seine Teilhabe an dieser Welt besteht darin, daß er früh aufsteht, zum Bäcker geht, den bedient, der gerade kommt, und nachts onaniert und dabei von Frauen träumt, die er nie kennenlernen wird.«

Es war Zeit, für eine Siesta haltzumachen, doch Petrus beschloß weiterzugehen. Er meinte, dies sei eine Art Buße für seine Intoleranz. Ich, der nichts getan hatte, mußte ihn unter der sengenden Sonne begleiten. Ich dachte an den guten Kampf und an die Millionen Menschen, die in diesem Augenblick überall auf dem Planeten Dinge taten, die ihnen nicht gefielen. Die Übung des Schmerzes tat mir, obwohl mein Finger inzwischen eine einzige Wunde war, sehr gut. Sie hatte mich begreifen lassen, wie verräterisch mein Geist sein konnte, der mich dazu brachte, Dinge zu tun, die ich nicht mochte, und Gefühle zu haben, die mir nicht halfen.

Und in diesem Augenblick wünschte ich mir, daß Petrus recht haben möge und es wirklich einen Boten gab, mit dem ich über ganz praktische Dinge reden und den ich bei Angelegenheiten, die mein weltliches Leben betrafen, um Hilfe bitten konnte. Ungeduldig erwartete ich den Abend.

Petrus hingegen hörte nicht auf, über den jungen Mann zu reden. Am Ende war er jedoch davon überzeugt, daß er richtig gehandelt hatte, und führte dafür wieder einmal ein christliches Argument ins Feld.

»Christus vergab der Ehebrecherin, doch er verfluchte den Feigenbaum, der keine Feigen geben wollte. Ich kann auch nicht immer nett sein.«

Schluß, aus. Für ihn war die Sache erledigt. Wieder einmal hatte ihn die Bibel gerettet.

Wir kamen erst gegen neun in Estella an. Ich nahm ein Bad, und anschließend gingen wir hinunter zum Abendessen. Der Autor des ersten Führers der Rota Jacobea, Aymeric Picaud, hatte Estella als einen »fruchtbaren Ort mit gutem Brot, vorzüglichem Wein, Fleisch und Fisch« beschrieben. »Sein Rio Ega führt süßes, gesundes und sehr gutes Wasser.« Das Wasser habe ich zwar nicht getrunken, doch was die Speisen betraf, so hatte Picaud auch heute, nach acht Jahrhunderten, noch recht. Uns wurden eine im Ofen gebackene Lammschulter, Artischockenherzen und ein ausgezeichneter Riojawein serviert. Wir saßen lange bei Tisch, unterhielten uns über Belangloses und genossen den Wein. Schließlich sagte Petrus, für mich sei jetzt der rechte Augenblick gekommen, ein erstes Mal in Kontakt mit dem Boten zu treten.

Wir standen vom Tisch auf und begannen durch die Straßen der Stadt zu gehen. Einige Gassen führten geradewegs zum Fluß, und am Ende einer dieser Gassen beschloß ich, mich niederzusetzen. Petrus wußte, daß ich von nun an das Ritual allein vollziehen würde, und blieb etwas zurück.

Ich schaute lange auf den Fluß. Sein Fließen und Rauschen begannen, mich von der Welt zu lösen, und flößten mir eine tiefe Ruhe ein. Ich schloß die Augen und stellte mir die erste Feuersäule vor. Zunächst war es etwas schwierig, doch dann erschien sie.

Ich sprach die rituellen Worte, und eine weitere Säule erschien zu meiner Linken. Der vom Feuer erleuchtete Raum zwischen beiden Säulen war leer. Ich starrte eine geraume Weile auf diesen Raum, versuchte, an nichts zu denken, damit sich der Bote manifestierte. Doch nichts dergleichen geschah. Im Gegenteil, es tauchten exotische Szenarien auf: der Eingang einer Pyramide, eine in pures Gold gekleidete Frau, einige schwarzhäutige Männer, die um ein Feuer tanzten. Die Bilder wechselten schnell, und ich ließ sie einfach fließen. Es erschienen auch viele Abschnitte des Jakobsweges, die ich mit Petrus zurückgelegt hatte. Landschaften, Restaurants, Wälder. Bis sich unvermittelt die graue Wüste, die ich bereits am Morgen gesehen hatte, zwischen den beiden Feuersäulen erstreckte. Und dort stand der sympathische Mann und blickte mich mit einem verräterischen Blitzen in den Augen an.

Er lächelte, und ich lächelte in meiner Trance zurück. Er zeigte mir eine geschlossene Tasche, öffnete sie dann und sah hinein. Doch von da, wo ich saß, konnte ich nichts sehen. Dann fiel mir ein Name ein: Astraín. Ich prägte mir diesen Namen ein und ließ ihn zwischen den beiden Feuersäulen vibrieren, und der Bote nickte mit dem Kopf. Ich hatte herausgefunden, wie er hieß.

Der Augenblick war gekommen, das Ritual zu beenden. Ich sprach die rituellen Worte und löschte die Feuersäulen, erst die linke, dann die rechte. Ich öffnete die Augen, und vor mir lag der Rio Ega.

»Es war sehr viel einfacher, als ich mir vorgestellt hatte«, sagte ich zu Petrus, und dann erzählte ich ihm alles, was ich zwischen den Säulen gesehen hatte.

»Dies war deine erste Begegnung. Eine Begegnung des gegenseitigen Erkennens und gegenseitiger Freundschaft. Das Gespräch mit dem Boten wird fruchtbar sein, wenn du ihn täglich rufst und deine Probleme mit ihm besprichst und immer genau zu unterscheiden weißt zwischen dem, was eine wirkliche Hilfe, und dem, was eine Falle ist. Halte immer dein Schwert gezückt, wenn du ihn triffst.«

»Aber ich habe mein Schwert doch noch gar nicht«, wandte ich ein.

»Daher kann er dir nicht viel Böses antun. Dennoch solltest du auf der Hut sein.«

Das Ritual war zu Ende, ich verabschiedete mich von Petrus und ging zum Hotel zurück. Als ich im Bett lag, dachte ich an den armen Kerl, der uns das Mittagessen serviert hatte. Ich wäre am liebsten wieder zurückgegangen und hätte ihm das *Ritual des Boten* beigebracht und ihm gesagt, daß er alles ändern könne, wenn er nur wolle. Doch es war nutzlos zu versuchen, die ganze Welt zu retten. Hatte ich doch noch nicht einmal geschafft, mich selbst zu retten.

Die Liebe

Wer mit dem Boten spricht, sollte nicht nach Dingen fragen, die die Welt der Geister betreffen«, sagte Petrus am nächsten Tage. »Der Bote dient nur einem: dir in der materiellen Welt zu helfen. Er wird dir nur helfen, wenn du genau weißt, was du willst.«

Wir hatten in einer kleinen Ortschaft haltgemacht, und Petrus hatte ein Bier und ich ein Soda bestellt. Der Untersatz meines Glases war eine Plastikscheibe, die mit farbigem Wasser gefüllt war. Meine Finger malten abstrakte Figuren in das Wasser, und mir gingen viele Dinge durch den Kopf.

»Du hast gesagt, daß der Bote sich in dem Jungen manifestiert habe, weil er mir etwas zu sagen hatte.«

»Etwas Dringendes«, bestätigte er.

Wir sprachen weiter über Boten, Engel und Dämonen. Es fiel mir schwer, eine so praktische Verwendung der Mysterien der ›Tradition‹ zu akzeptieren. Petrus bestand darauf, daß wir immer eine Belohnung suchen müssen, und ich erinnerte ihn daran, daß Jesus gesagt hatte, daß der Reiche nicht ins Himmelreich komme.

»Jesus hat auch den Mann belohnt, der die Talente seines Herrn zu mehren wußte. Außerdem haben die Menschen nicht nur an ihn geglaubt, weil er so gut reden konnte. Er mußte Wunder tun, um die zu belohnen, die ihm folgten.«

»In meiner Bar spricht niemand schlecht über Christus«, unterbrach uns der Wirt, der unserer Unterhaltung gefolgt war.

»Niemand spricht hier schlecht über Jesus«, entgegnete Petrus. »Schlecht über Jesus reden ist, wenn man in seinem Namen Böses tut. So wie es auf diesem Platz geschehen ist.«

Der Wirt schwankte einen Augenblick lang. Doch dann entgegnete er:

»Ich hatte damit nichts zu tun. Ich war noch ein Kind.«

»Schuld haben immer die anderen«, knurrte Petrus.

Der Wirt ging zur Küchentür hinaus. Ich fragte, worüber sie gerade geredet hätten.

»Vor fünfzig Jahren, mitten im 20. Jahrhundert, wurde ein Zigeuner dort gegenüber verbrannt. Er war der Hexerei und der Verunglimpfung der heiligen Hostie beschuldigt worden. Der Fall wurde über den Greueln des spanischen Bürgerkrieges vergessen, und heute erinnert sich keiner mehr daran. Außer den Einwohnern dieser Stadt.«

»Woher weißt du das, Petrus?«

»Ich gehe den Jakobsweg nicht zum ersten Mal.«

Wir waren die einzigen, die in der Bar etwas tranken. Draußen brannte die Sonne. Es war unsere Siesta-Zeit. Kurz darauf kam der Wirt mit dem Dorfpfarrer zurück.

»Wer sind diese Herren?« fragte der Pfarrer.

Petrus wies auf die Jakobsmuschel auf seinem Rucksack. Tausend Jahre hindurch waren Pilger auf dem Weg vor dieser Bar vorbeigezogen, und die Tradition wollte, daß jeder

Pilger geehrt und aufgenommen wurde. Der Pfarrer wechselte sofort seinen Ton.

»Wie ist es möglich, daß Pilger auf dem Jakobsweg schlecht über Jesus reden?« fragte er, und sein Tonfall klang so wie beim Katechismusunterricht.

»Niemand spricht hier schlecht über Jesus. Wenn wir uns über etwas negativ geäußert haben, dann war es über die im Namen Jesu verübten Verbrechen. Wie zum Beispiel die Verbrennung des Zigeuners hier auf dem Platz.«

Die Jakobsmuschel auf Petrus' Rucksack hatte auch den Wirt seinen Ton ändern lassen. Diesmal wandte er sich respektvoll an ihn.

»Der Fluch des Zigeuners wirkt heute noch«, sagte er, während ihn der Pfarrer tadelnd ansah.

Petrus wollte wissen, wie. Der Pfarrer sagte, das seien Geschichten, die sich das Volk erzähle. Die Kirche unterstütze dies keineswegs. Doch der Wirt fuhr fort:

»Bevor er starb, sagte der Zigeuner, daß das jüngste Kind des Dorfes seine Dämonen empfangen und von ihnen besessen sein werde. Wenn dieses Kind alt werde und sterbe, würden die Dämonen auf ein anderes Kind übergehen. Und dies über die Jahrhunderte.«

»Das Land hier ist genauso wie das der umliegenden Dörfer. Wenn sie unter der Dürre leiden, tun wir es auch. Wenn es dort regnet und die Ernte gut ist, füllen auch wir unsere Kornspeicher. Hier geschieht nichts, was nicht auch in den anderen Dörfern geschieht. Diese Geschichte ist pure Erfindung.«

»Nichts ist geschehen, weil wir den Fluch aus unserem Dorf verbannt haben.«

»Nun, dann gehen wir doch zu ihm hin«, entgegnete Petrus.

Der Pfarrer lachte und sagte, das sei ein Wort. Der Wirt schlug das Kreuz. Doch niemand rührte sich.

Petrus zahlte die Zeche und bestand darauf, daß jemand uns zu der Person führte, die mit dem Fluch belegt war. Der Pater entschuldigte sich damit, daß er in die Kirche zurück müsse, wo noch Arbeit auf ihn wartete. Und er ging, bevor wir anderen etwas sagen konnten.

Der Wirt sah Petrus ängstlich an.

»Machen Sie sich keine Sorgen«, sagte mein Führer. »Sie brauchen uns nur das Haus zu zeigen, in dem er lebt. Und wir werden versuchen, die Stadt vom Fluch zu befreien.«

Der Wirt trat mit uns auf die staubige Straße in die heiße Mittagssonne. Wir gingen zusammen bis zum Ortsausgang, und er wies auf ein in einiger Entfernung am Jakobsweg gelegenes Haus.

»Wir schicken immer Essen und Kleidung, alles, was man so braucht«, entschuldigte er sich.

»Aber selbst der Pfarrer geht nicht dorthin.«

Wir verabschiedeten uns von ihm und begaben uns zu dem Haus. Der Mann blieb abwartend stehen. Vielleicht dachte er, wir würden an dem Haus vorbeigehen. Doch Petrus ging auf die Vordertür zu und klopfte. Als ich zurücksah, war der Wirt verschwunden.

Eine etwa sechzigjährige Frau kam an die Tür. Neben ihr wedelte ein riesiger schwarzer Hund mit dem Schwanz und schien sich über den Besuch zu freuen. Die Frau fragte, was wir denn wollten, sie habe zu tun, sie sei gerade dabei, Wäsche zu waschen, und ein paar Töpfe stünden auf dem

Feuer. Sie schien von unserem Besuch nicht überrascht zu sein. Ich führte das darauf zurück, daß schon viele Pilger, die von dem Fluch nichts wußten, auf der Suche nach Unterkunft bei ihr angeklopft hatten.

»Wir sind Pilger auf dem Weg nach Santiago de Compostela und hätten gern etwas heißes Wasser«, sagte Petrus. »Ich bin sicher, Sie werden es uns nicht abschlagen.«

Etwas unwillig öffnete die Alte die Tür. Wir traten in ein kleines, sauberes, spärlich möbliertes Zimmer. Es standen dort ein Sofa, dessen Plastiküberzug eingerissen war, eine Anrichte und ein Resopaltisch mit zwei Stühlen. Auf der Anrichte befanden sich ein Bild des Heiligen Herzens Jesu, einige Heilige und ein aus Spiegeln gefertigtes Kruzifix. Das Zimmer hatte zwei Türen. Durch die eine konnte ich das Schlafzimmer sehen. Die Frau geleitete Petrus durch die andere zur Küche.

»Ich habe gerade kochendes Wasser auf dem Herd«, sagte sie. »Ich hole schnell ein Gefäß, und dann können Sie weiterziehen.«

Ich blieb mit dem riesigen Hund im Wohnzimmer. Er wedelte zufrieden und freundlich mit dem Schwanz. Kurz darauf kam die Frau mit einer alten Konservendose, füllte sie mit heißem Wasser und reichte sie Petrus.

»Hier. Und nun gehen Sie mit Gottes Segen.«

Doch Petrus rührte sich nicht. Er zog ein Teebeutelchen aus dem Rucksack, hängte es in die Dose und sagte, er wolle das wenige, was er besitze, aus Dankbarkeit dafür, daß sie uns aufgenommen habe, mit ihr teilen.

Die Frau holte sichtlich verärgert zwei Tassen und setzte sich mit Petrus an den Resopaltisch.

Während ich dem Gespräch der beiden zuhörte, sah ich weiterhin den Hund an.

»Man hat mir im Dorf erzählt, daß über diesem Haus ein Fluch liegt«, meinte Petrus beiläufig.

Ich sah die Augen des Hundes aufblitzen, als habe er die Unterhaltung verstanden. Die Alte stand abrupt auf.

»Das ist eine Lüge! Das ist ein alter Aberglaube! Seien Sie so gut und trinken Sie Ihren Tee aus, ich habe noch viel zu tun.«

Der Hund spürte den Stimmungswechsel der Frau. Er blieb reglos in Habachtstellung. Doch Petrus setzte das Gespräch seelenruhig fort.

Er goß langsam den Tee in die Tasse, führte sie an seine Lippen und setzte sie wieder ab, ohne einen Schluck getrunken zu haben.

»Er ist sehr heiß«, meinte er. »Warten wir noch eine Weile, bis er etwas abkühlt.«

Die Frau setzte sich nicht wieder. Sie war von unserer Anwesenheit sichtbar verärgert, und es tat ihr nun leid, die Tür aufgemacht zu haben. Sie bemerkte, daß ich den Hund anstarrte, und rief ihn zu sich. Das Tier gehorchte, doch auch nachdem es neben ihr stand, sah es mich weiterhin an.

»Deshalb, mein lieber Paulo«, sagte Petrus, indem er mich ansah, »deshalb ist dir dein Bote gestern in dem Kind erschienen.«

Plötzlich bemerkte ich, daß nicht ich den Hund, sondern der Hund mich anblickte. Seit ich hereingekommen war, hatte mich das Tier hypnotisiert und meinen Blick festgehalten. Der Hund sah mich an und zwang mir seinen Willen auf. Ich fühlte plötzlich eine große Mattigkeit, den

Wunsch, auf diesem zerschlissenen Sofa einzuschlafen, weil es draußen sehr heiß war und ich keine Lust hatte zu laufen. Dies alles kam mir seltsam vor, und mein Gefühl sagte mir, daß ich in einen Hinterhalt geraten war. Der Hund starrte mich an, und je länger er mich anstarrte, desto müder wurde ich.

»Laß uns aufbrechen«, sagte Petrus, indem er sich erhob und mir die Tasse reichte. »Trink etwas, denn die Dame des Hauses möchte, daß wir bald gehen.«

Ich schwankte, doch es gelang mir, die Tasse zu nehmen, und der Tee belebte mich ein wenig. Ich wollte etwas sagen, nach dem Namen des Tieres fragen, doch ich brachte keinen Ton heraus. Etwas in mir war erwacht, etwas, das Petrus mich nicht gelehrt hatte, was sich aber dennoch in mir manifestierte. Es war der unbezwingbare Wunsch, fremdartige Worte auszusprechen, deren Sinn ich nicht kannte. Ich glaubte, daß Petrus etwas in den Tee getan hatte. Alles rückte weit weg, und ich bekam nur ungenau mit, was die Frau zu Petrus sagte. Ich war von Euphorie erfüllt und beschloß, die fremdartigen Worte, die mir in den Sinn kamen, laut auszusprechen.

Ich sah in dem Raum nur den Hund. Als ich begann, diese fremdartigen Worte auszusprechen, die ich selbst nicht verstand, hörte ich, wie der Hund zu knurren begann. Er verstand sie. Ich wurde immer erregter und redete immer lauter. Der Hund erhob sich und bleckte die Zähne. Er war nun nicht mehr das sanfte Tier, das mir bei meiner Ankunft begegnet war, sondern etwas Böses, Bedrohliches, das mich jederzeit angreifen konnte. Ich wußte, daß die Worte mich beschützten, und redete immer lauter, wendete all meine

Kraft gegen den Hund, während ich fühlte, daß in mir eine andere Macht war, die verhinderte, daß das Tier mich angriff.

Von diesem Augenblick an verlief alles in Zeitlupe. Ich sah, daß die Frau schreiend auf mich zukam und versuchte, mich hinauszudrängen, und daß Petrus die Frau festhielt, doch der Hund achtete nicht auf ihren Streit. Er starrte mir in die Augen und richtete sich knurrend und zähnebleckend auf. Ich versuchte, die fremde Sprache zu verstehen, die ich sprach, doch jedesmal wenn ich versuchte, ihren Sinn zu ergründen, nahm die Macht in mir ab, und der Hund näherte sich, wurde stärker. Ich fing an, die Worte laut herauszuschreien, und die Frau begann ebenfalls zu schreien. Der Hund bellte und bedrohte mich, doch solange ich redete, war ich sicher. Ich hörte ein lautes Lachen, doch ich wußte nicht, ob es dieses Lachen wirklich oder nur in meiner Phantasie gab.

Unvermittelt und als würde alles gleichzeitig geschehen, durchfuhr ein Windstoß das Haus, und der Hund stieß ein lautes Heulen aus und stürzte sich auf mich. Ich hob den Arm, um mein Gesicht zu schützen, brüllte ein Wort und erwartete den Aufprall.

Der Hund warf sich mit seinem ganzen Gewicht auf mich, und ich fiel auf das Sofa. Einige Sekunden lang starrten wir einander Auge in Auge an, dann rannte er unvermittelt aus dem Haus.

Ich begann hemmungslos zu weinen. Ich erinnerte mich an meine Familie, an meine Frau und an meine Freunde. Eine ungeheure Liebe erfüllte mich, eine unendliche Freude, die mir jedoch zugleich absurd vorkam, da mir bewußt war, was mit dem Hund passiert war. Petrus packte mich am Arm und führte mich hinaus, während die Frau uns beide vor sich herschob. Ich blickte um mich, doch der Hund war spurlos verschwunden. Ich legte meinen Arm um Petrus und hörte nicht auf zu weinen, während wir in der Sonne wanderten.

An den zurückgelegten Weg kann ich mich nicht erinnern, ich kam erst wieder zu mir, als ich an einem Brunnen saß und Petrus mir das Gesicht und den Nacken anfeuchtete. Ich bat um einen Schluck Wasser, doch er sagte, mir würde nur übel werden, wenn ich etwas tränke. Eine unendliche Liebe für alles und für alle durchflutete mich. Ich blickte um mich und sah die Bäume am Straßenrand, den kleinen Brunnen, bei dem wir gehalten hatten, spürte die frische Brise und hörte die Vögel im Wald singen. Es war, wie Petrus mir gesagt hatte: Ich sah das Antlitz meines Engels. Auf meine Frage, ob wir schon weit vom Haus der Frau entfernt seien, antwortete er, daß wir schon mindestens eine Viertelstunde gegangen seien.

»Du willst sicher wissen, was geschehen ist«, meinte er.

Im Augenblick interessierte es mich nicht. Der Hund, die Frau, der Wirt waren ferne Erinnerungen, die nichts mit dem zu tun hatten, was ich jetzt fühlte. Ich sagte Petrus, daß ich gern weitergehen wolle. Mit mir sei alles in Ordnung.

Ich stand auf, und wir nahmen den Jakobsweg wieder auf. Während des verbleibenden Nachmittags war ich wortkarg, immer noch in dieses angenehme Gefühl getaucht, das alles zu erfüllen schien. Hin und wieder dachte ich noch, daß Petrus etwas in den Tee getan haben mußte, doch auch das war letztlich unwichtig. Was zählte, war, daß ich die Berge, die Bäche, die Blumen am Wegesrand, das herrliche Antlitz meines Engels sah.

Um acht Uhr abends erreichten wir ein Hotel, und ich befand mich noch immer – wenn auch nicht mehr ganz so intensiv – in diesem seligen Zustand. Der Besitzer bat um meinen Paß, um mich einzutragen. »Sie sind aus Brasilien? Da war ich schon mal. In einem Hotel am Strand von Ipanema.«

Dieser absurde Satz brachte mich wieder in die Realität zurück. Mitten auf der Rota Jacobea, in einem vor vielen Jahrhunderten gebauten Dorf, gab es einen Hotelier, der den Strand von Ipanema kannte.

»Wenn du jetzt mit mir reden willst, ich bin bereit«, sagte ich zu Petrus, »ich muß wissen, was heute geschehen ist.«

Der Zustand der Seligkeit war vorüber. An seine Stelle war wieder der Verstand mit seiner Angst vor dem Unbekannten und mit der dringenden Notwendigkeit getreten, mit beiden Füßen auf der Erde zu stehen.

»Nach dem Abendessen«, antwortete er.

Petrus bat den Hotelbesitzer, den Fernseher einzuschalten, jedoch ohne Ton. Er meinte, so könne ich am besten zuhören, ohne zu viele Fragen zu stellen, weil ein Teil von mir das ansehen würde, was auf dem Bildschirm passierte. Er fragte mich, bis zu welchem Zeitpunkt meine Erinnerung zurückreiche. Ich antwortete ihm, daß ich mich an alles außer an unseren Weg zum Brunnen erinnern könne.

»Das ist unwichtig«, antwortete er. Im Fernsehen begann irgendein Film, in dem es um Kohlebergwerke ging. Die Darsteller trugen Kleidung der Jahrhundertwende. »Gestern, als ich das Drängen deines Boten spürte, wußte ich, daß dir auf dem Jakobsweg ein Kampf bevorstand. Du bist hier, um dein Schwert zu finden und die *Praktiken der R.A.M.* zu lernen. Doch jedesmal wenn ein Führer einen Pilger geleitet, gibt es mindestens eine Situation, die sich der Kontrolle beider entzieht und die so etwas wie eine Prüfung der praktischen Umsetzung des inzwischen Gelernten ist. In deinem Falle war es die Begegnung mit dem Hund.

Die Einzelheiten des Kampfes und warum Dämonen häufig in Tieren leben, erkläre ich dir ein andermal. Wichtig ist jetzt, daß du begreifst, daß diese Frau bereits an den Fluch gewöhnt war. Für sie war er etwas Normales, in das sie sich geschickt hatte, und die Engherzigkeit der Welt erschien ihr als etwas Gutes. Sie hatte gelernt, sich mit wenigem zufriedenzugeben, obwohl das Leben großzügig ist und viele Geschenke für uns bereithält.

Als du dieser armen Alten die Dämonen ausgetrieben hast, brachtest du ihr Universum aus dem Gleichgewicht. Vor ein paar Tagen haben wir über die Schmerzen gesprochen, die Menschen sich selbst zufügen. Wenn wir ihnen das Gute zu zeigen versuchen, ihnen zeigen wollen, daß das Leben großzügig ist, weisen sie dieses Ansinnen häufig zurück, als stamme es vom Dämon. Sie wagen nicht, etwas vom Leben zu fordern, weil die Angst vor der Niederlage zu groß ist. Doch wer den guten Kampf kämpfen will, der muß die Welt als einen unendlich großen Schatz ansehen, der darauf wartet, entdeckt und erobert zu werden.«

Petrus fragte mich, ob ich wisse, was ich hier auf dem Jakobsweg mache.

»Ich bin auf der Suche nach meinem Schwert«, antwortete ich.

»Und wozu willst du das Schwert haben?«

»Weil es mir die Macht und die Weisheit der ›Tradition‹ verleihen wird.«

Ich merkte, daß ihn meine Antwort nicht ganz zufriedenstellte. Doch er fuhr fort:

»Du bist auf der Suche nach einer Belohnung. Du wagst zu träumen und tust alles, um diesen Traum Wirklichkeit werden zu lassen. Bis du es gefunden hast, mußt du genau wissen, was du mit deinem Schwert tun wirst. Doch etwas spricht für dich: Du suchst nach einer Belohnung. Du gehst den Jakobsweg nur, weil du für deine Anstrengung belohnt werden willst. Ich habe durchaus bemerkt, daß du alles, was ich dir beibringe, anwendest und dabei ein praktisches Ziel verfolgst. Das ist sehr positiv.

Du mußt nur noch die *Praktiken der R.A.M.* mit deiner Intuition vereinen. Die Sprache deines Herzens wird die richtige Art bestimmen, dein Schwert zu finden und zu benutzen. Andernfalls werden sich die Exerzitien und die *Praktiken der R.A.M.* in der nutzlosen Weisheit der ›Tradition‹ verlieren.«

Petrus hatte mir das auf andere Art schon öfter gesagt, und obwohl ich ihm zustimmte, war es nicht das, was ich wissen wollte. Es waren zwei Dinge geschehen, für die ich keine Erklärung hatte: Ich hatte in fremden Zungen gesprochen und war von einem Gefühl der Freude und Liebe durchflutet worden, nachdem ich den Hund verjagt hatte.

»Das Gefühl der Freude hattest du, weil dein Handeln von Agape bestimmt war.«

»Du redest so viel von Agape, und bis jetzt hast du mir noch nicht genau erklärt, was das ist. Hat es mit einer höheren Form der Liebe zu tun?«

»Genau. Der Augenblick, in dem du diese intensive Liebe kennenlernen wirst, die den Liebenden verschlingt, ist nicht mehr weit. Dennoch begnüge dich damit zu wissen, daß sie sich frei in dir manifestiert.«

»Ich hatte dieses Gefühl schon häufiger. Doch es hielt nicht so lange an und war auch anders. Es überkam mich immer nach einem beruflichen Erfolg, wenn ich etwas geschafft hatte oder wenn ich ahnte, daß das Schicksal es gut mit mir meinte. Dennoch verschloß ich mich diesem Gefühl und fürchtete mich davor, es intensiv auszuleben. Als könnte diese Freude den Neid anderer wecken oder als wäre ich ihrer unwürdig.«

»Bevor wir die Agape kennenlernen, machen wir das alle«, sagte er, während er auf den Fernsehbildschirm starrte.

Ich fragte ihn dann nach den fremden Zungen, in denen ich gesprochen hatte.

»Das hat mich überrascht. Dies ist keine Praktik des Jakobsweges. Es ist ein Charisma und gehört zu den *Praktiken der R.A.M.* auf dem Pilgerweg nach Rom.«

Ich hatte schon vom Charisma gehört, doch ich bat Petrus, es mir genauer zu erklären.

»Die Charismen sind Gaben des Heiligen Geistes, die sich im Menschen manifestieren. Es gibt ganz unterschiedliche Arten: die Gabe des Heilens, die Gabe, Wunder zu tun, die Gabe der Prophezeiung, um nur einige zu nennen. Du hast die Gabe der Sprachen erfahren, die Gabe, in fremden Zungen zu sprechen, die den Aposteln mit dem Pfingstwunder zuteil wurde. Die Gabe, in fremden Zungen zu sprechen, ist Ausdruck der unmittelbaren Verbindung mit dem Heiligen Geist. Sie dient machtvollen Gebeten,

Exorzismen – wie in deinem Fall – und der Weisheit. Die Tage unserer Wanderung auf dem Jakobsweg und die *Praktiken der R.A.M.* haben, einmal abgesehen von der Gefahr, die der Hund für dich darstellte, zufällig die Gabe der Sprachen in dir geweckt. Das wird nicht wieder geschehen, es sei denn, du findest dein Schwert und beschließt, den Pilgerweg nach Rom zu gehen. Jedenfalls ist es ein gutes Vorzeichen.«

Ich schaute auf den stummgeschalteten Fernseher. Die Geschichte in den Kohlebergwerken war zu einer Folge von Bildern von Männern und Frauen geworden, die ständig redeten, stritten, sich unterhielten. Hin und wieder küßte ein Schauspieler eine Schauspielerin.

»Noch etwas«, sagte Petrus. »Es könnte sein, daß du den Hund wieder triffst. Versuch in diesem Falle nicht, die Gabe der Sprachen in dir zu wecken, weil sie nicht wiederkehren wird. Vertraue auf das, was deine Intuition dir sagen wird. Ich werde dir eine weitere *Praktik der R.A.M.* beibringen, die diese Intuition in dir weckt. Du wirst dadurch beginnen, die geheime Sprache deines Geistes verstehen zu lernen, und sie wird dir in deinem Leben jederzeit sehr nützlich sein.«

Petrus schaltete den Fernseher just in dem Augenblick aus, als ich anfing, mich für die Handlung zu interessieren. Dann ging er an die Bar und bestellte eine Flasche Mineralwasser. Wir tranken beide etwas davon, und dann nahm er die Flasche mit nach draußen.

Wir setzten uns und schwiegen. Die Stille der Nacht umfing uns, und die Milchstraße am Himmel erinnerte mich an mein Ziel: mein Schwert zu finden.

Nach einer Weile lehrte mich Petrus das *Exerzitium des Wassers.*

»Ich bin müde und werde jetzt schlafen gehen«, sagte er. »Aber mach du jetzt diese Übung. Erwecke deine Intuition, deine geheime Seite. Laß die Logik aus dem Spiel, denn das Wasser ist ein flüssiges Element und läßt sich nicht so einfach beherrschen. Doch es wird ganz allmählich, gewaltlos, eine neue Beziehung zwischen dir und dem Universum aufbauen.«

Und er schloß, bevor er ins Hotel trat:

»Man hat nicht immer einen Hund, der einem hilft.«

Ich genoß die Kühle und die Stille der Nacht. Das Hotel lag weitab von der nächsten Stadt, und niemand fuhr die Straße entlang, an der ich saß. Ich dachte an den Besitzer, der Ipanema kannte und dem es absurd vorkommen mußte, daß ich mich an diesem kargen Ort aufhielt, auf den die Sonne jeden Tag wieder mit derselben Heftigkeit niederbrannte.

Ich wurde allmächlich müde und beschloß, die Übung gleich zu machen. Ich schüttete den Rest des Wassers auf den Betonboden. Sofort bildete sich eine Pfütze. Sie hatte weder eine bestimmte Form, noch stellte sie irgend etwas dar, aber darum ging es mir auch nicht. Meine Finger begannen durch das kalte Wasser zu fahren, und ich gelangte allmählich in den hypnotischen Zustand, der einen überkommt, wenn man ins Feuer blickt. Ich dachte an nichts, spielte nur mit dem Wasser einer Pfütze. Ich machte am Rand ein paar Striche, und die Pfütze schien sich in eine nasse Sonne zu verwandeln, doch die Striche verliefen schnell wieder ineinander. Dann schlug ich mit der Handfläche mitten in die Pfütze. Das Wasser spritzte und über-

DAS EXERZITIUM
DES ERWECKENS DER INTUITION
(Das Exerzitium des Wassers)

Mache auf einer glatten, wasserundurchlässigen Oberfläche eine Pfütze. Sieh diese Pfütze eine Zeitlang an. Dann beginne, absichts- und ziellos, mit dieser Wasserpfütze zu spielen. Male etwas vollkommen Sinnloses mit dem Wasser. Mache diese Übung eine Woche lang jeweils mindestens zehn Minuten.

Suche in dieser Übung nicht nach praktischen Ergebnissen. Sie wird ganz allmählich deine Intuition wecken. Vertrau ihr immer, auch wenn sie beginnt, sich auch zu anderen Tageszeiten zu manifestieren.

zog den Betonboden mit Tropfen, schwarzen Sternen auf grauem Grund. Ich war ganz in diese kindische Übung versunken, die kein Ziel verfolgte, sondern einfach nur Spaß machte. Ich fühlte, daß mein Geist fast vollkommen ausgeschaltet war. Das erreichte ich sonst nur nach langen Meditationen und in tiefer Entspannung. Gleichzeitig sagte mir etwas, daß tief in mir, in den verborgenen Bereichen meines Geistes, eine Kraft Gestalt annahm und sich anschickte, sich zu manifestieren.

Ich spielte lange mit der Pfütze, und es fiel mir schwer, mit der Übung aufzuhören. Hätte mir Petrus die Übung mit dem Wasser am Anfang der Reise beigebracht, hätte ich sie bestimmt für eine Zeitvergeudung gehalten. Doch jetzt, nachdem ich in fremden Zungen geredet und Dämonen ausgetrieben hatte, stellte diese Wasserpfütze einen ersten zaghaften Kontakt zur Milchstraße über mir her. Sie spiegelte deren Sterne wider, schuf Zeichnungen, die ich nicht entschlüsseln konnte, und verschaffte mir das Gefühl, gleichsam einen neuen Code der Kommunikation mit der Welt zu schaffen. Den geheimen Code der Seele, der Sprache, die wir zwar verstehen, aber nur selten hören.

Es war spät geworden. Die Lichter am Empfang des Hotels brannten nicht mehr, und ich ging ganz leise hinein. In meinem Zimmer rief ich noch einmal Astraín. Er erschien mir deutlicher, und ich sprach eine Zeitlang mit ihm über mein Schwert und meine Lebensziele.

Einstweilen äußerte er sich nicht, doch Petrus hatte mir ja gesagt, daß Astraín erst im Laufe der Zeit, je häufiger ich ihn anrief, zu einer lebendigen und mächtigen Gegenwart an meiner Seite werden würde.

Die Hochzeit

Logroño ist eine der größten Städte am Jakobsweg. Die einzige große Stadt, durch die wir zuvor gekommen waren, war Pamplona gewesen. An dem Nachmittag, an dem wir in Logroño ankamen, bereitete die Stadt sich auf ein großes Fest vor, und Petrus schlug vor, zumindest eine Nacht zu bleiben.

Ich hatte mich schon so sehr an die Stille und die Freiheit auf dem Lande gewöhnt, daß mir dieser Gedanke nicht sonderlich gefiel. Seit dem Zwischenfall mit dem Hund waren fünf Tage vergangen, und ich hatte jede Nacht Astraín gerufen und das Exerzitium des Wassers durchgeführt. Ich war innerlich sehr viel ruhiger und mir der Bedeutung des Jakobsweges für mein Leben und dessen bewußter geworden, was ich in Zukunft tun würde. Obwohl die Landschaft trocken und das Essen nicht immer gut gewesen waren und mich das tagelange Wandern müde gemacht hatte, lebte ich einen realen Traum.

All dies rückte in weite Ferne, als wir in Logroño ankamen. Hier herrschte nicht mehr die heiße, aber reine Luft wie draußen auf dem Land; im Gegenteil, die Stadt wimmelte nur so von Autos, Journalisten und Fototeams. Petrus ging in die nächste Bar, um nachzufragen, was hier los sei.

»Wissen Sie es denn nicht? Heute ist die Hochzeit von

Oberst M.«, antwortete der Mann. »Es wird ein großes, öffentliches Bankett auf dem Platz geben, und ich schließe heute früher.«

Es war schwierig, eine Unterkunft zu finden, doch schließlich kamen wir bei einem alten Ehepaar unter, das die Jakobsmuschel auf Petrus' Rucksack bemerkt hatte. Wir nahmen ein Bad, ich zog die einzige lange Hose an, die ich mitgenommen hatte, und wir gingen zum Platz.

Dort waren unzählige Kellner und Kellnerinnen in weißen Jacken und schwarzen Kleidern damit beschäftigt, letzte Hand an die auf dem ganzen Platz verteilten Tische zu legen. Das spanische Fernsehen machte ein paar Aufnahmen von den Vorbereitungen. Wir folgten einer kleinen Straße, die zur Paróquia de Santiago El Real führte, wo die Trauung stattfinden sollte.

Festlich gekleidete Menschen, Frauen, deren Schminke in der Hitze fast zerlief, weißgekleidete Kinder mit grimmigen Gesichtern strömten in die Kirche. Einige Feuerwerkskörper zerkrachten über uns, als eine riesige schwarze Limousine vor dem Hauptportal hielt. Petrus und mir gelang es nicht, in die brechend volle Kirche zu gelangen, und so beschlossen wir, auf den Platz zurückzukehren.

Während Petrus eine Runde drehte, setzte ich mich auf eine Bank und wartete auf das Ende der Trauung und das anschließende Bankett. Neben mir wartete ein Popcornverkäufer ebenfalls auf das Ende der Trauungszeremonie, weil er sich einen Extragewinn versprach.

»Sind Sie auch eingeladen?« fragte er mich.

»Nein«, antwortete ich, »wir sind Santiago-de-Compostela-Pilger.«

»Von Madrid fährt ein Zug direkt dorthin, und wenn Sie freitags fahren, ist die Hotelübernachtung im Preis inbegriffen.«

»Aber wir machen eine Pilgerreise.«

Der Verkäufer schaute mich an und meinte dann vorsichtig:

»Eine Pilgerfahrt, das ist etwas für Heilige.«

Ich wechselte das Thema. Der Alte fing an, mir zu erzählen, daß seine Tochter schon verheiratet sei, aber jetzt von ihrem Mann getrennt lebe.

»Zu Francos Zeiten, da herrschte noch mehr Respekt«, sagte er. »Heute schert sich niemand mehr um die Familie.«

Obwohl ich mich in einem fremden Land aufhielt, wo es nicht ratsam ist, über Politik zu diskutieren, konnte ich dies nicht so stehenlassen. Ich sagte, daß Franco ein Diktator sei und zu seiner Zeit nichts besser gewesen sein könnte.

Der Alte lief rot an.

»Was bilden Sie sich eigentlich ein?«

»Ich kenne die Geschichte Ihres Landes. Ich kenne den Kampf Ihres Volkes für die Freiheit. Ich habe über die Verbrechen des Spanischen Bürgerkrieges gelesen.«

»Aber ich *war* in diesem Krieg. Ich kann darüber sprechen, denn in diesem Krieg ist das Blut meiner Familie geflossen. Was Sie gelesen haben, interessiert mich nicht. Mich interessiert, was in meiner Familie geschehen ist. Ich habe gegen Franco gekämpft, doch nach seinem Sieg ist mein Leben besser geworden. Ich bin nicht arm und besitze einen fahrbaren Popcornstand. Der sozialistischen Regierung, die wir jetzt haben, habe ich das nicht zu verdanken. Mir geht es jetzt schlechter als vorher.«

Mir fiel ein, wie Petrus gesagt hatte, daß sich die Menschen im Leben mit wenig zufriedengeben, und ich beschloß, nicht weiter darauf einzugehen, und setzte mich auf eine andere Bank.

Petrus kam und setzte sich neben mich. Ich erzählte ihm, was ich mit dem Popcornverkäufer erlebt hatte.

»Miteinander reden ist sehr gut«, meinte er, »wenn man sich von dem überzeugen will, was man sagt. Zu Hause bin ich Mitglied der Kommunistischen Partei, also ich hatte ja keine Ahnung von deiner faschistischen Seite.«

»Was heißt hier faschistische Seite?« fragte ich empört.

»Du hast dem Alten dabei geholfen, sich davon zu überzeugen, daß Franco besser war. Vielleicht hätte er sonst nie erfahren, weshalb. Jetzt weiß er es.«

»Tja, ich war auch sehr überrascht zu hören, daß der PCI an die Gaben des Heiligen Geistes glaubt.«

»Wir kümmern uns nicht darum, was die Nachbarn sagen werden«, äffte er den Papst nach. Wir lachten beide. Das Feuerwerk krachte von neuem. Eine Musikkapelle stieg in den Musikpavillon auf den Platz und fing an, die Instrumente zu stimmen. Das Fest mußte jeden Augenblick beginnen.

Ich blickte zum Himmel. Es dämmerte, und einige Sterne erschienen. Petrus wandte sich an einen der Kellner, und es gelang ihm, zwei Plastikbecher mit Wein zu organisieren.

»Es bringt Glück, wenn man schon etwas trinkt, bevor das Fest beginnt«, sagte er und reichte mir eines der Gläser. »Nimm einen Schluck, es wird dir helfen, den Alten mit dem Popcorn zu vergessen.«

»Ich habe schon gar nicht mehr daran gedacht.«

»Hättest du aber sollen. Weil, was geschehen ist, eine symbolische Botschaft zur Korrektur eines falschen Verhaltens ist. Wir versuchen immer Anhänger für unsere Sicht der Welt zu gewinnen. Wir glauben, daß, wenn nur viele dasselbe glauben wie wir, dies Wirklichkeit wird. Das ist keineswegs so.

Sieh dich um. Hier wird ein großes Fest vorbereitet, gleich wird es beginnen. Viele Dinge werden gleichzeitig gefeiert: der Traum des Vaters, der seine Tochter verheiraten wollte, der Traum der Tochter, die heiraten wollte, der Traum des Bräutigams. Das ist gut so, weil sie an diesen Traum glauben und allen zeigen wollen, daß sie ein Ziel erreicht haben. Es ist kein Fest, bei dem es darum geht, jemanden zu überzeugen. Deshalb ist es fröhlich. Alles weist darauf hin, daß es Menschen sind, die den guten Kampf der Liebe kämpfen.«

»Aber du versuchst mich doch auch zu überzeugen, Petrus. Du führst mich auf dem Jakobsweg.«

Er bedachte mich mit einem kühlen Blick.

»Ich bringe dir die *Praktiken des R.A.M.* bei. Aber du wirst dein Schwert erst finden, wenn du entdeckst, daß der Weg in deinem Herzen liegt, wie auch die Wahrheit und das Leben.«

Petrus wies auf den Himmel, an dem die Sterne jetzt gut sichtbar waren.

»Die Milchstraße zeigt den Weg nach Compostela. Es gibt keine Religion, die in der Lage wäre, alle Sterne zusammenzubringen. Denn geschähe dies, würde das Universum zu einem riesigen leeren Raum werden und seine Daseinsberechtigung verlieren. Jeder Stern – und jeder

Mensch – hat seinen eigenen Raum und seine besonderen Eigenschaften.

Es gibt grüne, gelbe, blaue, weiße Sterne, es gibt Kometen, Meteore und Meteoriten, es gibt Sternennebel und -ringe. Was von hier unten wie ein Haufen gleicher Punkte aussieht, sind in Wirklichkeit Millionen unterschiedlicher Dinge, die in einem Raum verteilt sind, der die menschliche Vorstellungskraft übersteigt.«

Das Feuerwerk leuchtete wieder auf, und sein Strahlen verbarg für einen Augenblick den Himmel. Eine Kaskade grüner, glitzernder Partikel erschien am Himmel.

»Vorhin haben wir, weil es noch Tag war, nur den Lärm gehört. Jetzt können wir sein Licht sehen«, sagte Petrus. »Dies ist die einzige Veränderung, die der Mensch anstreben kann.«

Das Brautpaar trat aus der Kirche, und die Leute warfen Reis und ließen sie hochleben. Die Braut war ein mageres Mädchen von etwa siebzehn Jahren, das bei einem jungen Mann in Galauniform eingehakt war. Ihnen folgte die Hochzeitsgemeinde, und alle machten sich auf den Weg zum Platz.

»Sieh mal, der Oberst M.! Guck mal das Brautkleid! Wie hübsch sie ist«, sagten ein paar Mädchen, die bei uns in der Nähe standen. Die Gäste setzten sich an die Tische, die Kellner schenkten Wein ein, und die Musikkapelle fing an zu spielen. Der Alte mit dem Popcorn wurde sofort von einem Schwarm kleiner Jungen umringt, die ihm übereifrig das Geld hinreichten und den Inhalt der Beutel auf den Boden schütteten. Die Nacht war ein Fest, die ganze Stadt war eingeladen, und alle fühlten sich wichtig.

Ein Fernsehteam steuerte auf uns zu, und Petrus verbarg sein Gesicht. Doch das Team ging an uns vorbei zu einem anderen Gast, der neben uns stand. Ich erkannte ihn sofort: Es war der Anführer der spanischen Fangemeinde bei der Fußballweltmeisterschaft in Mexiko. Als das Interview vorüber war, wandte ich mich an ihn, sagte ihm, ich sei Brasilianer, und er forderte mit gespielter Empörung ein Tor ein, das ihnen beim ersten Spiel aberkannt worden war. Doch dann umarmte er mich und sagte, daß Brasilien in Zukunft wieder die besten Spieler der Welt haben würde.

»Wie schaffen Sie es, das Spiel zu sehen, obwohl Sie immer mit dem Rücken zum Fußballfeld stehen und die Fans anfeuern?« fragte ich. Das war mir damals bei den Übertragungen der Weltmeisterschaft aufgefallen.

»Meine größte Freude ist, wenn die Fans an den Sieg glauben.«

Und, als sei er auch ein Führer auf dem Weg nach Santiago, schloß er:

»Eine Fangemeinde ohne Glauben läßt eine Mannschaft ein Spiel mit sicherem Sieg verlieren.«

Dann wollten andere etwas von ihm. Doch ich dachte über seine Worte nach. Obwohl er niemals die Rota Jacobea gegangen war, wußte auch er, was es bedeutete, den guten Kampf zu kämpfen.

Ich entdeckte Petrus, den die Gegenwart des Fernsehteams sichtlich störte, in einer Ecke. Erst als die Scheinwerfer ausgingen, kam er zwischen den Bäumen des Platzes hervor und entspannte sich etwas. Wir baten um noch zwei Becher Wein, ich füllte mir einen Teller mit Schnittchen, und Petrus fand einen Tisch, an den wir uns zu den anderen Gästen setzen konnten.

Das Brautpaar schnitt einen riesigen Kuchen an. Wieder erschallten Hochrufe.

»Sie scheinen sich zu lieben«, dachte ich laut.

»Natürlich lieben sie sich«, sagte ein Herr im dunklen Anzug, der an unserem Tisch saß. »Haben Sie schon mal jemanden gesehen, der aus einem anderen Grund geheiratet hat?«

Ich behielt die Antwort für mich, denn ich erinnerte mich an das, was Petrus über den Popcornverkäufer gesagt hatte. Doch mein Führer ließ diese Frage nicht einfach im Raum stehen.

»Welche Liebe meinen Sie: Eros, Philia oder Agape?«

Der Mann sah ihn verständnislos an. Petrus stand auf, schenkte sich Wein nach und forderte mich auf, mit ihm einen kleinen Spaziergang zu machen.

»Es gibt im Griechischen drei Worte für Liebe«, begann er. »Heute siehst du eine Manifestation des Eros, des Gefühls, das zwei Menschen füreinander empfinden.«

Die Brautleute lächelten in die Blitzlichter und wurden beglückwünscht.

»Es sieht so aus, als liebten sie einander«, sagte er und meinte damit die Brautleute. »Und sie glauben, daß Liebe etwas ist, das wächst. Bald schon werden sie allein ihr Leben gestalten, ein Haus einrichten und gemeinsam dasselbe Abenteuer leben. Das läßt die Liebe größer werden und macht sie würdig. Er wird seine Karriere in der Armee machen, sie kocht sicher gut und wird eine gute Hausfrau sein, weil sie von Kindesbeinen an dazu erzogen wurde. Sie wird ihm zur Seite stehen, die beiden werden Kinder haben und das Gefühl teilen, zusammen etwas aufzubauen, denn sie kämpfen den guten Kampf. Daher werden sie, bei allen Schwierigkeiten, die auftreten könnten, immer glücklich sein.

Die Geschichte, die ich dir erzähle, könnte allerdings auch ganz anders verlaufen. Er könnte anfangen zu fühlen, daß er nicht frei genug ist, allen Eros, alle die Liebe zu zeigen, die er für andere Frauen empfindet. Sie könnte anfangen zu fühlen, daß sie eine Karriere und ein glänzendes Leben geopfert hat, um dem Mann zur Seite zu stehen. So könnte jeder von den beiden, anstatt das Gefühl zu haben, etwas gemeinsam geschaffen zu haben, sich um ihre Art zu lieben beraubt fühlen. Eros, der Geist, der sie vereint, wird nur seine schlechte Seite zeigen. Und das, was Gott dem Menschen als edelstes Gefühl bestimmt hat, wird am Ende nur Quelle des Hasses und der Zerstörung.«

Ich blickte um mich. Eros war in mehreren Paaren gegenwärtig. Das Exerzitium des Wassers hatte die Sprache meines Herzens geweckt, und ich sah jetzt die Menschen mit anderen Augen an. Vielleicht waren es auch die Tage der Einsamkeit im Wald, vielleicht waren es sogar die *Praktiken der R.A.M.* Doch ich konnte die Gegenwart des guten Eros und des schlechten Eros spüren, genau so wie Petrus sie beschrieben hatte.

»Schau, das ist doch eigenartig«, meinte Petrus, dem genau dasselbe wie mir auffiel. »Ob es nun die gute oder die schlechte Seite des Eros ist, sie ist bei keinem Menschen gleich. Genau wie die Sterne, von denen ich vorher gesprochen habe. Und niemand kann Eros entgehen. Alle brauchen ihn, obwohl Eros bewirkt, daß wir uns fern von der Welt in unsere Einsamkeit eingeschlossen fühlen.«

Die Musikkapelle stimmte einen Walzer an. Die Leute begaben sich zu dem kleinen zementierten Platz vor dem Musikpavillon und fingen an zu tanzen. Der Alkohol begann seine Wirkung zu zeigen, und alle waren jetzt verschwitzt, fröhlich und ausgelassen. Mir fiel ein Mädchen in einem blauen Kleid auf, das die ganze Hochzeitsfeier lang nur auf diesen Augenblick gewartet zu haben schien, weil es mit jemandem tanzen wollte, von dessen Umarmung es träumte, seit es kein kleines Kind mehr war. Sein Blick verfolgte einen gutgekleideten jungen Mann in hellem Anzug, der mit einer Gruppe von Freunden zusammenstand und sich angeregt mit ihnen unterhielt. Sie hatten nicht bemerkt, daß der Walzer angefangen hatte und wenige Meter von ihnen ein junges Mädchen in blauem Kleid stand, das einen von ihnen beharrlich anschaute.

Ich dachte an das Leben in Kleinstädten, an Mädchenträume von Heiraten mit dem schon in der Kindheit erwählten Jungen.

Das Mädchen bemerkte, daß ich es ansah, und verließ die Tanzfläche. Erst da suchte der Junge es mit dem Blick. Sobald er sah, daß es bei den anderen Mädchen stand, fuhr er fort, angeregt mit seinen Freunden zu reden.

Ich wies Petrus auf die beiden hin. Er beobachtete eine Zeitlang das Augenspiel und wandte sich dann wieder seinem Wein zu.

»Sie verhalten sich so, als wäre es eine Schande zu zeigen, daß sie sich lieben«, war sein einziger Kommentar.

Ein Mädchen stand vor uns und starrte uns an. Es mochte etwa halb so alt sein wie wir. Petrus hob sein Glas und prostete ihm zu. Das Mädchen lächelte verschämt, zeigte, als wollte es sich dafür entschuldigen, daß es nicht näher kam, auf seine Eltern.

»Das ist die schöne Seite der Liebe«, sagte er. »Die Liebe, die herausfordert, die Liebe zu zwei viel älteren Fremden, die von weither gekommen sind und morgen in eine Welt weiterziehen werden, die auch es gern durchstreifen würde.«

Ich merkte an Petrus' Stimme, daß ihm der Wein zu Kopfe gestiegen war.

»Heute werden wir über die Liebe sprechen!« sagte mein Führer, und seine Stimme war etwas lauter als gewöhnlich. »Wir werden über diese wahre Liebe sprechen, die stetig wächst, die Welt bewegt und den Menschen weise macht!«

Eine gutgekleidete Frau, die sich in unserer Nähe aufhielt, schien das Fest nicht zu beachten. Sie ging von einem Tisch zum anderen und sammelte Gläser, Teller und Besteck ein.

»Achte auf die Frau dort«, sagte Petrus. »Sie hört nicht auf, Ordnung zu schaffen. Der Eros hat eben viele Gesichter, und dieses ist eines davon. Es ist die enttäuschte Liebe, die sich im Unglück anderer verwirklicht. Sie wird den Bräutigam und die Braut küssen, doch in ihrem Inneren wird sie sich sagen, daß die beiden nicht füreinander geschaffen sind. Sie versucht die Welt zu ordnen, weil sie selbst in Unordnung ist. Und dort« – dabei zeigte er auf ein anderes Paar, bei dem die Frau stark geschminkt und sorgfältig frisiert war – »dort siehst du den angenommenen Eros. Die gesellschaftliche Liebe, die bar jeden Gefühls ist. Diese Frau hat ihre Rolle angenommen und die Verbindung zur Welt und zum guten Kampf abgebrochen.«

»Du klingst sehr bitter, Petrus. Ist hier denn niemand, der deiner Kritik entgeht?«

»Doch, natürlich. Das junge Mädchen, das uns angesehen hat. Die jungen Leute, die tanzen und nur den guten Eros kennen. Wenn sie sich nicht von Heuchelei in der Liebe anstecken lassen, die die Generation vor ihnen beherrscht hat, wird sich die Welt ganz sicher verändern.«

Er wies auf ein altes Ehepaar, das an einem Tisch saß.

»Die beiden auch. Sie haben sich von der Heuchelei nicht anstecken lassen wie viele andere. Sie scheinen Bauern zu sein. Hunger und Not haben sie gezwungen, zusammenzuhalten und zusammen zu arbeiten. Sie haben, ohne je etwas von der R.A.M. gehört zu haben, die Praktiken gelernt, die du jetzt lernst. Weil sie die Kraft der Liebe aus der Arbeit schöpfen. Hier zeigt Eros sein schönstes Gesicht, weil er mit Philia verbunden ist.«

»Was ist Philia?«

»Philia ist Liebe in der Form der Freundschaft. Es ist das, was ich für dich und die anderen empfinde. Wenn die Flamme des Eros nicht mehr strahlen kann, dann ist es Philia, die die Paare zusammenhält.«

»Und Agape?«

»Der Moment ist noch nicht gekommen, um über Agape zu sprechen. Agape ist im Eros und in der Philia, doch das sind nur Worte. Wir wollen uns jetzt amüsieren, ohne die alles verschlingende Liebe zu erwähnen.« Und Petrus goß noch mehr Wein in seinen Plastikbecher.

Die Fröhlichkeit ringsum wirkte ansteckend. Petrus schwankte ein bißchen, und anfangs war ich etwas verwundert. Doch ich erinnerte mich daran, daß er eines Abends gesagt hatte, die *Praktiken des R.A.M.* hätten nur dann einen Sinn, wenn sie von einem gewöhnlichen Menschen durchgeführt werden könnten.

Petrus war an jenem Abend ein Mensch wie alle anderen. Er war Kamerad, Freund, schlug den Leuten auf den Rükken und unterhielt sich mit jedem, der ihm zuhörte. Bald schwankte er derart, daß ich ihn am Arm festhalten und ins Hotel bringen mußte.

Auf dem Weg dorthin wurde mir bewußt, daß ich meinen Führer führte und daß Petrus während unserer Wanderung kein einziges Mal versucht hatte, weiser, frommer oder besser als ich zu sein. Er hatte mir nur seine Erfahrung mit den *Praktiken der R.A.M.* vermittelt. Doch sonst hatte er immer darauf geachtet zu zeigen, daß er ein Mensch wie jeder andere war, ein Mensch, der Eros, Philia und Agape empfand.

Das gab mir Kraft. Der Jakobsweg war der Weg der ganz gewöhnlichen Menschen.

Die Begeisterung

Wenn ich mit Menschen- und mit Engelszungen redete und hätte der Liebe nicht, so wäre ich ein tönend Erz oder eine klingende Schelle. Und wenn ich weissagen könnte und wüßte alle Geheimnisse und alle Erkenntnis und hätte allen Glauben, also daß ich Berge versetzte, und hätte der Liebe nicht, so wäre ich nichts.«

Petrus zitierte wieder den heiligen Paulus. Für ihn war der Apostel der große okkulte Deuter der Botschaft Christi. Wir angelten an jenem Nachmittag, nachdem wir den ganzen Vormittag gewandert waren. Kein Fisch biß an, doch meinen Führer kümmerte das nicht. Ihm zufolge war Angeln so etwas wie ein Gleichnis für die Beziehung des Menschen zur Welt: Wir wissen, was wir wollen, und werden es erhalten, wenn wir nicht lockerlassen, doch die Zeit, die wir brauchen werden, um an unser Ziel zu gelangen, hängt von Gottes Hilfe ab.

»Es ist immer gut, etwas Langsames zu tun, bevor man im Leben eine wichtige Entscheidung trifft«, sagte er. »Die Zen-Mönche setzen sich hin und hören den Felsen beim Wachsen zu. Ich angle lieber.«

Doch zu dieser Stunde des Tages und in der Hitze scherten sich sogar die faulen rötlichen Fische unmittelbar unter der Wasseroberfläche nicht um den Angelhaken. Man hätte die Angelschnur auch außerhalb des Wassers halten können, es hätte keinen Unterschied gemacht. Ich beschloß, zu passen und einen kleinen Spaziergang in der Umgebung zu machen. Ich kam bis zu einem alten verlassenen Friedhof in der Nähe des Flusses mit einem unverhältnismäßig großen Tor. Als ich zu Petrus zurückkam, fragte ich ihn über den Friedhof aus.

»Das Tor gehörte zu einem alten Pilgerhospiz«, sagte er. »Doch es wurde aufgegeben, und später hatte jemand die Idee, die Fassade zu nutzen und dahinter den Friedhof zu bauen.«

»Der auch aufgegeben wurde.«

»Ja, genau. Die Dinge in diesem Leben sind nur von kurzer Dauer.«

Ich sagte, er habe vergangene Nacht sehr hart über die Leute auf dem Fest geurteilt. Petrus war erstaunt. Er meinte, wir hätten doch nur Erfahrungen ausgetauscht, die wir beide in unserem Leben schon gemacht hätten.

»Alle sind wir auf der Suche nach Eros, und wenn Eros zu Philia werden will, empfinden wir die Liebe als unnütz. Ohne zu begreifen, daß Philia uns zu einer höheren Form der Liebe führen will, zu Agape.«

»Erzähl mir mehr über Agape«, bat ich ihn.

Petrus antwortete, daß man über Agape nicht reden solle, sie müsse gelebt werden. Möglicherweise könne er mir noch an diesem Abend eines der Gesichter der Agape zeigen. Doch dazu müsse sich das Universum verhalten wie bei der Übung des Angelns: Es müsse das Seinige für einen guten Ausgang tun.

»Der Bote kann dir helfen, doch es gibt etwas, das liegt

außerhalb seines Einflußbereiches, außerhalb deiner Wünsche und deiner selbst.«

»Und was ist das?«

»Der Funke Gottes. Das, was die Menschen gemeinhin Glück nennen.«

Als die Sonne etwas milder geworden war, nahmen wir unsere Wanderung wieder auf. Die Rota Jacobea verlief durch einige Weinberge und bestellte Felder, die um diese Tageszeit menschenleer dalagen. Wir kreuzten die Hauptstraße, die ebenfalls verlassen war, und kehrten in den Wald zurück. In der Ferne konnte man den Pico de San Lorenzo sehen, den höchsten Punkt Kastiliens. Seit ich Petrus in der Nähe von Saint-Jean-Pied-de-Port zum ersten Mal begegnet war, hatte sich in mir viel verändert. Brasilien, die unerledigten Geschäfte, alles dies war fast vollständig aus meinem Kopf verschwunden. Das einzige Lebendige war mein Ziel, über das ich jede Nacht mit Astraín sprach, der jedesmal deutlicher in Erscheinung trat. Es gelang mir, ihn immer neben mir sitzend zu sehen, ich bemerkte, daß er im rechten Auge einen nervösen Tick hatte und immer lächelte, wenn ich Dinge wiederholte, die er gesagt hatte, um mich zu vergewissern, daß ich ihn verstanden hatte. Vor ein paar Wochen, vor allem in den ersten Tagen der Wanderung, hatte ich manchmal befürchtet, den Weg nicht zu Ende gehen zu können. Als wir durch Roncesvalles kamen, war ich der ganzen Sache überdrüssig gewesen und hatte nur gewünscht, schnell in Santiago anzukommen, mein Schwert wiederzubekommen, um dann wieder den Kampf aufzunehmen, den Petrus (den heiligen Paulus zitierend) den guten Kampf nannte. Doch jetzt war alles, was mich an die Zivilisation band und was ich zuerst widerwillig aufgegeben hatte, so gut wie vergessen. In diesem Augenblick waren für mich nur die Sonne über mir wichtig und die Vorfreude auf Agape.

Wir stiegen in eine Schlucht hinunter, überquerten einen Bach und keuchten auf der anderen Seite wieder hinauf. Dieser Bach mußte einstmals ein wilder Fluß gewesen sein, der sich brodelnd in die Erde und deren Geheimnisse gegraben hatte. Jetzt war er nur noch ein Bach, den man zu Fuß durchqueren konnte. Doch sein Werk, das tiefe Tal, das er gegraben hatte, gab es noch, und es zu bezwingen kostete mich große Mühen. Wie hatte Petrus doch gesagt: »Alles im Leben ist von kurzer Dauer.«

»Petrus, hast du schon viel geliebt?«

Diese Frage war mir ganz spontan entschlüpft, und ich war selbst über meinen Mut überrascht. Bis zu diesem Augenblick wußte ich nur das Allernotwendigste über das Privatleben meines Führers.

»Ich hatte schon viele Frauen, wenn du das damit meinst. Und ich habe jede einzelne sehr geliebt. Doch Agape habe ich nur bei zweien gefühlt.«

Ich erzählte ihm, daß auch ich viel geliebt habe und allmählich besorgt darüber sei, daß ich mich an niemanden binden könne. Wenn das so weiterginge, stünde mir ein einsames Alter bevor, und davor hätte ich große Angst.

»Ich würde eine Krankenschwester engagieren«, lachte er. »Aber glaube nicht, daß du auf ein geruhsames Rentenalter zusteuerst.«

Es war fast neun Uhr, als es dämmerte. Die Weinberge lagen hinter uns, und wir befanden uns in einer wüstenähnlichen Landschaft. Ich blickte um mich und konnte in der Ferne eine kleine, in den Fels gebaute Einsiedelei erkennen, die denen glich, die wir auf unserem Wege schon gesehen hatten. Wir gingen noch etwas weiter und verließen dann die gelbmarkierte Strecke, um direkt auf das kleine Gebäude zuzugehen.

Als wir nahe genug heran waren, rief Petrus einen Namen, den ich nicht verstand, und blieb, auf die Antwort wartend, stehen. Obwohl wir die Ohren gespitzt hatten, hörten wir nichts. Petrus rief noch einmal, aber niemand antwortete.

»Laß uns trotzdem gehen«, sagte er. Und wir trabten los.

Es waren nur vier weißgekalkte Wände. Die Tür stand offen, oder besser gesagt, es gab gar keine Tür, sondern nur eine etwa einen halben Meter hohe Pforte, die unsicher an einer Angel hing. Drinnen gab es einen aus Steinen gebauten Ofen und einige sorgfältig auf dem Boden ineinandergestellte Schüsseln. Zwei davon waren voller Weizen und Kartoffeln.

Wir setzten uns schweigend. Petrus zündete sich eine Zigarette an und meinte, wir sollten noch etwas warten. Meine Beine schmerzten vor Müdigkeit, doch irgend etwas in dieser Einsiedelei erregte mich, anstatt mich zu beruhigen. Wahrscheinlich hätte ich Angst bekommen, wäre Petrus nicht bei mir gewesen.

»Wer auch immer hier wohnt, wo schläft er?« fragte ich und brach so das Schweigen, das mir zuzusetzen begann.

»Dort, wo du jetzt sitzt«, sagte Petrus, indem er auf den nackten Boden wies. Ich wollte mich schon woanders hinsetzen, doch er bat mich, genau da sitzen zu bleiben, wo ich saß. Die Temperatur schien gefallen zu sein, denn ich begann zu frösteln.

Wir warteten fast eine Stunde lang. Petrus rief ihn noch zweimal und gab es dann auf. Als ich dachte, daß wir nun aufstehen und gehen wollten, sagte er, indem er seine dritte Zigarette ausdrückte:

»Hier sind zwei Manifestationen der Agape vorhanden. Es ist nicht die einzige, doch eine der reinsten. Agape ist die alles umfassende, vollkommene Liebe, die Liebe, die den verschlingt, der sie erfährt. Wer Agape kennt und erlebt, sieht, daß auf der Welt zu lieben das einzig Wichtige ist. Dies war die Liebe, die Jesus für die Menschheit empfand, und sie war so groß, daß sie die Sterne erschütterte und den Lauf der Geschichte des Menschen veränderte. Sein einsames Leben war imstande, etwas zu tun, das Königen, Heeren und Kaiserreichen nicht gelang.

In den Jahrtausenden der Geschichte unserer Zivilisation wurden viele Menschen von dieser alles verschlingenden Liebe erfaßt. Sie hatten so viel zu geben – und die Welt forderte so wenig –, daß sie gezwungen waren, Wüsten und einsame Orte aufzusuchen, weil die Liebe so groß war, daß sie sie veränderte. Aus ihnen wurden die heiligen Eremiten, die wir heute kennen.

Für mich und für dich, die wir eine andere Form der Agape erfahren, mag dieses Leben hart und erschreckend erscheinen. Dennoch bewirkt die verschlingende Liebe, daß alles, absolut alles seine Wichtigkeit verliert. Diese

Menschen leben nur dafür, von ihrer Liebe verzehrt zu werden.«

Petrus erzählte mir, daß hier ein Mann namens Alfonso lebe. Er hatte ihn auf seiner ersten Wallfahrt nach Compostela kennengelernt, als er gerade Obst für sich pflückte. Sein damaliger Führer, ein Mann, der sehr viel erleuchteter war als er, war ein Freund von Alfonso, und alle drei hatten das Ritual der Agape oder das *Ritual der blauen Kugel* durchgeführt. Petrus sagte, daß dies für ihn eine der wichtigsten Erfahrungen in seinem Leben gewesen sei. Noch heute erinnere er sich, jedesmal wenn er die Übung mache, an die Einsiedelei und an Alfonso. Petrus' Stimme klang belegt, es war das erste Mal, daß ich bei ihm so etwas wie Rührung bemerkte.

»Agape ist die Liebe, die verschlingt«, wiederholte er, als könnte dieser Satz diese merkwürdige Art Liebe am besten erklären. »Martin Luther King sagte einmal, daß Christus, als er uns aufforderte, unsere Feinde zu lieben, mit diesem Lieben Agape meinte. Denn seiner Meinung nach sei es ›unmöglich, unsere Feinde zu lieben, diejenigen, die uns Schaden zufügen und unseren mühevollen Alltag herabwürdigen‹. Doch Agape ist mehr als nur jemanden lieben. Es ist ein Gefühl, das alles einnimmt, all unsere Lücken füllt und jegliche Aggressionsgebärde im Keim erstickt.

Du hast gelernt, wiedergeboren zu werden, nicht grausam zu dir selber zu sein, mit deinem Boten zu sprechen. Doch alles, was du von nun an tun wirst, alles Positive, was du von diesem Jakobsweg für dich mitnimmst, wird nur Sinn machen, wenn du von der alles verschlingenden Liebe berührt wirst.«

Ich erinnerte Petrus daran, daß er gesagt hatte, es gebe zwei Formen der Agape. Und daß er möglicherweise nicht die erste dieser Formen erlebt habe, da er ja kein Eremit geworden sei.

»Du hast recht. Du, ich und mit uns die Mehrzahl der Pilger, die den Jakobsweg mit Hilfe der Worte der R.A.M. gegangen sind, haben Agape in ihrer anderen Form erfahren: im Enthusiasmus, in der Begeisterung.

In der Antike bedeutete Enthusiasmus Trance, Verzükkung, Verbindung mit Gott. Der Enthusiasmus ist die auf eine Idee, eine Sache gerichtete Agape. Wir haben das alle schon einmal erlebt. Wenn wir lieben und mit ganzer Seele an etwas glauben, fühlen wir uns stärker als die Welt und sind von einer Gelassenheit erfüllt, die aus der Gewißheit herrührt, daß nichts unseren Glauben besiegen kann. Diese seltsame Kraft macht, daß wir immer zum richtigen Zeitpunkt die richtigen Entscheidungen treffen, und wenn wir unser Ziel erreicht haben, sind wir über unsere eigenen Fähigkeiten erstaunt. Denn während des guten Kampfes ist alles andere unwichtig, wir werden vom Enthusiasmus zu unserem Ziel getragen.

Der Enthusiasmus ist am stärksten beim Kind. Als Kind sind wir noch eng mit der Gottheit verbunden und so begeistert beim Spielen, daß für uns die Puppen lebendig sind und unsere Zinnsoldaten marschieren können. Als Jesus sagte, daß den Kindern das Himmelreich gehöre, bezog er sich auf Agape in der Form des Enthusiasmus. Die Kinder kamen zu ihm, ohne sich um seine Wunder, seine Weisheit, die Pharisäer und die Apostel zu scheren. Sie kamen fröhlich, und ihr Antrieb war die Begeisterung.«

Ich erzählte Petrus, ich hätte just an jenem Abend begriffen, daß ich mich ganz und gar dem Jakobsweg verschrieben hatte. Diese Tage und Nächte auf spanischem Boden hätten mich fast mein Schwert vergessen lassen und seien zu einer einzigartigen Erfahrung geworden. Alles andere sei unbedeutend geworden.

»Heute nachmittag haben wir versucht zu angeln, aber die Fische haben nicht angebissen«, sagte Petrus. »Normalerweise lassen wir zu, daß die Begeisterung uns bei diesen geringen Dingen, die im Vergleich zur Größe eines jeden Lebens bedeutungslos sind, unseren Händen entgleitet. Wir verlieren die Begeisterung wegen unserer kleinen und notwendigen Niederlagen während des guten Kampfes. Und da wir nicht wissen, daß die Begeisterung eine höhere, auf den Sieg hin gerichtete Kraft ist, lassen wir zu, daß sie unseren Fingern entgleitet. Und wir bemerken dabei nicht, daß uns damit auch der wahre Sinn unseres Lebens entgleitet. Wir geben der Welt die Schuld an unserem Lebensüberdruß, an unseren Niederlagen und vergessen dabei, daß wir es waren, die diese alles rechtfertigende, überwältigende Kraft haben entwischen lassen, die Manifestation der Agape in der Form der Begeisterung.«

Der Friedhof am Bach tauchte vor meinem inneren Auge auf. Dieses merkwürdige, übergroße Portal war eine perfekte Verkörperung des verlorengegangenen Sinns. Hinter diesem Tor gab es nur die Toten.

Als hätte er meinen Gedanken erraten, begann Petrus von etwas Ähnlichem zu sprechen.

»Vor ein paar Tagen mußt du dich gewundert haben, daß ich wegen eines armen Kerls, der Kaffee auf meine bereits verdreckten Bermudas gegossen hatte, den Kopf verloren habe. In Wirklichkeit rührte meine Gereiztheit daher, daß ich in den Augen dieses jungen Mannes sah, wie die Begeisterung aus ihm gewichen war wie Blut, das aus aufgeschnittenen Pulsadern rinnt. Ich sah, wie dieser junge Mann, der so kräftig und voller Leben war, anfing zu sterben, denn in ihm starb mit jedem Augenblick ein wenig Agape. Ich bin nicht mehr jung und habe gelernt, mit bestimmten Dingen zu leben, doch dieser junge Mann machte mich mit seiner Art und in Anbetracht dessen, was er alles für die Menschheit Gutes tun könnte, ärgerlich und traurig zugleich. Ich bin mir sicher, daß meine Aggressivität seine Selbstgefälligkeit erschüttert und so dem Tod der Agape zumindest für einige Zeit Einhalt geboten hat.

Genauso wie du, als du Agape in ihrem reinen Zustand erlebt hast, indem du den Geist im Hund jener Frau verwandelt hast. Dies war eine edle Geste, und ich war froh, dein Führer zu sein. Deshalb werde ich zum ersten Mal auf dem Jakobsweg ein Exerzitium mit dir zusammen machen.«

Und Petrus lehrte mich das Ritual der Agape, das *Ritual der blauen Kugel.*

»Ich werde dir helfen, die Begeisterung zu wecken, eine Kraft zu schaffen, die sich wie eine blaue Kugel um den ganzen Planeten herum erstrecken wird«, sagte er. »Um dir zu zeigen, daß ich Achtung vor deiner Suche empfinde, und aus Achtung vor dem, was du bist.«

Bis zu jenem Augenblick hatte Petrus sich nie – weder positiv noch negativ – zu der Art und Weise geäußert, wie ich

Das Ritual der blauen Kugel

*1. Setze dich bequem hin und entspanne dich.
Laß dein Herz sich frei fühlen, voll freundschaft-
licher Gefühle, über alle kleinlichen Probleme
erhaben, die dich vielleicht gerade beschäftigen.
Summe leise ein Lied aus deiner Kindheit. Stelle
dir vor, wie dein Herz wächst und dein Zimmer
und dann deine Wohnung oder dein Haus mit
einem starken, strahlenden blauen Licht erfüllt.
2. Wenn du an diesem Punkt angelangt bist,
beginne die Gegenwart der Heiligen zu fühlen,
denen du als Kind deinen Glauben schenktest.
Merke, wie sie bei dir sind, von überallher kommen, lächeln und dir Glauben an dein Leben,
Vertrauen in dein Leben geben.
3. Stelle dir vor, daß sich die Heiligen dir nähern,
um ihre Hände auf deinen Kopf zu legen, und dir
Liebe, Frieden und das Gefühl von Gemeinschaft
mit der Welt wünschen.
4. Wenn dieses Gefühl stark geworden ist, fühle,
wie das blaue Licht in dich hinein- und aus dir
herausströmt wie ein leuchtender Fluß. Dieses
blaue Licht beginnt nun, sich in deiner Wohnung
oder deinem Haus, dann in deinem Stadtteil, dei-*

ner Stadt, deinem Land zu verbreiten und umgibt am Ende die ganze Welt wie eine riesige blaue Kugel. Sie ist die Manifestation der Höchsten Liebe, die jenseits unserer Alltagskämpfe liegt, dich jedoch stärkt, dir Kraft, Energie und Frieden gibt.

5. Halte dieses über die Welt gebreitete Licht so lange wie möglich aufrecht. Dein Herz ist offen, verbreitet Liebe. Diese Phase des Exerzitiums sollte mindestens fünf Minuten dauern.

6. Kehre ganz allmählich aus deiner Trance in die Welt zurück. Die Heiligen werden in der Nähe bleiben. Das blaue Licht wird weiterhin über die Welt verteilt sein.

Dieses Ritual kann, wenn es nicht anders geht, von einer Person allein, sollte aber wenn möglich von mehreren Personen vollführt werden. Dabei sollen sie einander an den Händen halten.

die Exerzitien durchführte. Er hatte mir geholfen, die erste Begegnung mit dem Boten zu deuten, hatte mich beim *Exerzitium des Samenkorns* aus der Trance gerissen, doch zu keinem Zeitpunkt hatte er sich für das interessiert, was sie in mir bewirkten. Mehr als einmal hatte ich ihn gefragt, weshalb er meine Gefühle nicht erfahren wolle, und er hatte mir geantwortet, daß die einzige Verpflichtung, die er als Führer habe, darin bestehe, mir den Jakobsweg und die *Praktiken der R.A.M.* zu zeigen. Es liege bei mir, die Ergebnisse entweder zu nutzen oder abzulehnen.

Als er sagte, er wolle das Exerzitium mit mir zusammen machen, fühlte ich mich plötzlich seines Lobes unwürdig. Er kannte meine Fehler und hatte häufig an seiner Fähigkeit gezweifelt, mich auf dem Jakobsweg zu führen. Ehe ich ihm das ansatzweise sagen konnte, fiel er mir ins Wort.

»Sei nicht grausam zu dir. Sonst hast du keine Lehre gezogen aus dem, was ich dir beizubringen suchte. Sei nett zu dir selber. Nimm ein verdientes Lob an.«

Mir stiegen Tränen in die Augen. Petrus nahm mich bei der Hand, und wir gingen hinaus. Die Nacht war dunkel, dunkler als sonst. Ich setzte mich neben ihn, und wir begannen zu singen. Die Musik stieg in mir auf, und ich folgte der Melodie mühelos. Ich begann leise in die Hände zu klatschen, während ich den Oberkörper vor- und zurückschwingen ließ. Das Händeklatschen wurde stärker, und in mir floß frei die Musik, eine Lobeshymne auf den dunklen Himmel, die wüstenähnliche Ebene, die leblosen Felsen. Ich begann die Heiligen zu sehen, an die ich als Kind geglaubt hatte, die aber das Leben von mir entfernt hatte, weil auch ich einen großen Teil Agape in mir abgetötet hatte. Doch jetzt kehrte die alles verschlingende Liebe freigebig wieder zu mir zurück, und die Heiligen lächelten genauso vom Himmel wie damals in meiner Kindheit.

Ich breitete die Arme aus, damit die Agape floß, und ein geheimnisvoller Strom aus blauem Licht begann in mich hinein- und aus mir herauszufließen, wusch meine Seele und vergab mir meine Sünden. Da begann ich zu weinen. Ich weinte, weil ich den Enthusiasmus wieder fühlte, den ich als Kind angesichts des Lebens gefühlt hatte. Nichts mehr konnte mir in diesem Augenblick etwas anhaben.

Das Licht breitete sich erst über die Landschaft aus, und dann umhüllte es die ganze Welt. In jede Tür, in jede Gasse war es gedrungen und hatte für Bruchteile von Sekunden jedes lebende Wesen berührt.

Ich spürte, daß jemand kam und sich rechts neben mich setzte, und glaubte, es sei mein Bote, denn er würde der einzige sein, der dieses starke Licht sehen konnte. Jemand ergriff meine zum Himmel erhobenen Hände. In diesem Augenblick wurde der Strom blauen Lichts noch stärker, so intensiv, daß ich glaubte, ohnmächtig zu werden. Doch es gelang mir, ihn noch so lange aufrechtzuerhalten, bis ich das Lied zu Ende gesungen hatte.

Dann entspannte ich mich, vollkommen erschöpft, doch eins mit dem Leben und glücklich über das, was ich gerade erlebt hatte. Die Hände, die meine Hände gehalten hatten, gaben diese frei. Ich bemerkte, daß eine Hand die Hand von Petrus war. Und tief in meinem Herzen ahnte ich, wessen die andere Hand war.

Ich öffnete die Augen, und neben mir saß der Mönch Alfonso. Er lächelte. »Buenas noches.« Ich lächelte zurück, ergriff seine Hand und drückte sie fest an meine Brust. Er ließ mich gewähren, zog dann aber seine Hand sanft zurück.

Keiner sagte etwas. Eine geraume Weile später erhob sich Alfonso und ging wieder in die felsige Ebene zurück. Meine Blicke folgten ihm, bis die Dunkelheit ihn ganz in sich aufgenommen hatte.

Petrus brach kurz darauf das Schweigen. Er erwähnte Alfonso nicht.

»Mache dieses Exerzitium, sooft du kannst, und ganz allmählich wird die Agape wieder in dir leben. Wiederhole es, bevor du ein Vorhaben in Angriff nimmst, an den ersten Tagen einer Reise oder wenn etwas deine Gefühle aufgewühlt hat. Wenn möglich, mache es mit jemandem zusammen, den du gern hast. Es ist eine Erfahrung, die mit anderen geteilt werden sollte.«

Das war wieder der alte Petrus, der Fachmann, Lehrer und Führer, von dem ich so wenig wußte. Der gefühlsbetonte Augenblick in der Hütte war vorüber. Dennoch, er hatte meine Hand während des Exerzitiums ergriffen, und ich hatte die Größe seiner Seele gespürt.

Wir kehrten zur weißen Einsiedelei zurück, in der noch unsere Sachen lagen.

»Ihr Bewohner wird heute nicht mehr zurückkommen, ich glaube, wir können hier schlafen«, sagte Petrus und legte sich nieder. Ich rollte meinen Schlafsack aus, trank einen Schluck Wein und legte mich auch nieder. Ich war erschöpft von der alles verschlingenden Liebe. Doch es war eine Müdigkeit, die frei von Anspannung war, und bevor ich meine Augen schloß, dachte ich an den hageren, bärtigen Mönch,

der mir eine gute Nacht gewünscht und sich neben mich gesetzt hatte. Irgendwo dort draußen wurde dieser Mann von
der göttlichen Flamme verzehrt. Vielleicht war deshalb die
Nacht so dunkel, weil er alles Licht der Welt in sich aufgenommen hatte.

Der Tod

Sind Sie Pilger?« fragte die alte Frau, die uns das Frühstück servierte. Wir befanden uns in Azofra, einem Ort mit kleinen Häusern, die an ihrer Fassade Wappen aus dem Mittelalter trugen, und mit einem Brunnen, an dem wir kurz zuvor unsere Wasserflaschen gefüllt hatten.

Ich nickte, und die Augen der Frau blickten voller Achtung und Stolz.

»Als ich ein Kind war, kam täglich mindestens ein Pilger auf dem Weg nach Compostela durch den Ort. Was nach dem Krieg und nach der Franco-Zeit geschehen ist, weiß ich nicht. Jedenfalls sieht es so aus, als hätten die Wallfahrten aufgehört. Man sollte hier eine Straße bauen. Heute wollen die Leute doch nur noch Auto fahren.«

Petrus schwieg. Seit dem Erwachen war er schlecht gelaunt. Ich stimmte der Frau zu und stellte mir eine neue, geteerte Straße vor, die durch Berge und Täler führte, stellte mir Autos mit einer auf die Kühlerhaube gemalten Jakobsmuschel vor und Souvenirläden vor den Toren der Klöster. Ich trank meinen Milchkaffee aus und aß mein Brot mit Olivenöl. Ein Blick in den Jakobswegführer von Aymeric Picaud sagte mir, daß wir wahrscheinlich am Abend in Santo Domingo de la Calzada ankommen würden, und ich nahm mir vor, im Parador Nacional zu übernachten.

Ich hatte viel weniger Geld ausgegeben, als ich gedacht hatte, obwohl wir immer drei Mahlzeiten am Tag zu uns nahmen. Jetzt war der Augenblick gekommen, sich etwas Extravagantes zu leisten.

Beim Aufwachen war ich von einem seltsamen Gefühl der Eile getrieben gewesen und wollte so schnell wie möglich in Santo Domingo ankommen. Auf unserem Weg zur Einsiedelei war ich noch überzeugt davon gewesen, daß ich dieses Gefühl nie wieder haben würde. Petrus war melancholischer, schweigsamer als sonst, und ich wußte nicht, ob die Begegnung mit Alfonso zwei Tage zuvor der Grund dafür war. Ich hätte gern Astraín gerufen, um mit ihm ein wenig darüber zu reden. Doch ich hatte ihn noch nie morgens gerufen und wußte nicht, ob es klappen würde. Daher verwarf ich diesen Gedanken.

Nach dem Frühstück nahmen wir unsere Wanderung wieder auf. Wir kamen an einem mittelalterlichen Haus mit seinem Wappen vorbei, an den Ruinen einer alten Pilgerherberge und einem Provinzpark am Rande der Ortschaft. Als ich mich anschickte, über die Felder weiterzuwandern, spürte ich eine starke Gegenwart neben mir. Ich ging weiter, doch Petrus hielt mich zurück.

»Fliehen bringt nichts. Bleib stehen und stelle dich.«

Das Gefühl war unangenehm, ähnlich wie eine Magenkolik. Einen Augenblick lang wollte ich noch glauben, daß das am Brot mit Olivenöl lag, doch ich hatte es schon zuvor gespürt, und es gab keinen Zweifel: Es war Anspannung. Anspannung und Angst.

»Blick zurück!« Petrus' Tonfall war dringlich. »Blick zurück, bevor es zu spät ist!«

Ich wandte mich jählings um. Neben mir, auf der linken Seite, befand sich ein kleines verlassenes Haus, in das die von der Sonne verdorrten Pflanzen hineinwuchsen. Ein Olivenbaum reckte seine knorrigen Zweige in den Himmel. Und zwischen Olivenbaum und dem Haus stand ein Hund und starrte mich an.

Ein schwarzer Hund, derselbe, den ich ein paar Tage zuvor aus dem Haus der Frau vertrieben hatte.

Ich verlor mein Zeitgefühl und spürte auch Petrus nicht mehr neben mir. Ich blickte dem Hund fest in die Augen. Etwas in mir – vielleicht die Stimme Astraíns oder meines Schutzengels – sagte mir, daß er mich angreifen würde, sobald ich den Blick von ihm wandte. So standen wir unendlich lange Minuten da und blickten einander an. Ich fühlte, daß ich, nachdem ich die Größe der alles verschlingenden Liebe erfahren hatte, nun wieder vor den alltäglichen und immerwährenden Bedrohungen des Lebens stand. Ich fragte mich, warum mich das Tier von so weit her verfolgt hatte. Was es überhaupt wollte, denn ich war ein Pilger auf der Suche nach seinem Schwert und hatte weder Lust noch Geduld, mir auf dem Weg Probleme mit Menschen oder Tieren aufzuhalsen. Ich versuchte dies alles mit meinen Blicken zu sagen – mir waren die Mönche in dem Kloster wieder eingefallen, die sich mit Blicken verständigten –, doch der Hund regte sich nicht. Er starrte mich weiter ungerührt an, bereit, mich anzugreifen, wenn ich die Konzentration verlöre oder Angst zeigte.

Angst! Ich stellte fest, daß die Angst verschwunden war. Mir kam die Situation zu albern vor, als daß ich Angst haben mußte. Mein Magen krampfte sich zwar zusammen, und ich mußte mich vor lauter Anspannung fast übergeben, doch Angst hatte ich nicht. Hätte ich sie, dann würden es meine Augen verraten und das Tier mich wie schon einmal umwerfen. Ich durfte den Blick nicht abwenden, auch dann nicht, als ich spürte, daß sich auf einem Pfad rechts von mir eine Gestalt näherte.

Die Gestalt hielt einen Augenblick lang inne und kam dann direkt auf uns zu. Sie kreuzte die imaginäre Linie, die die Augen des Tieres mit meinen verband, und sagte etwas, das ich nicht verstehen konnte. Es war eine Frauenstimme, und ihre Gegenwart war gut, freundlich und positiv.

Im Bruchteil der Sekunde, in dem sich die Gestalt zwischen meine und die Augen des Hundes schob, entspannte sich mein Magen. Ich hatte einen mächtigen Freund, der dort war und mir in diesem absurden, unnötigen Kampf zu Hilfe kam. Als die Gestalt ganz vorbeigegangen war, senkte der Hund den Blick, machte einen Satz, lief hinter das verlassene Haus, und ich verlor ihn aus den Augen.

Erst in diesem Moment begann mein Herz vor Angst so heftig zu klopfen, daß mir schwindlig wurde und ich glaubte, gleich ohnmächtig zu werden. Alles um mich herum drehte sich. Ich sah auf die Straße, die Petrus und ich wenige Minuten zuvor entlanggekommen waren, und suchte die Gestalt, die mir die Kraft gegeben hatte, den Hund zu besiegen.

Es war eine Nonne. Sie ging von uns weg nach Azofra, und ich konnte ihr Gesicht nicht sehen, doch ich erinnerte mich an ihre Stimme – die Stimme einer höchstens Zwanzigjährigen. Ich schaute auf den Weg, auf dem sie gekommen war: Es war ein schmaler Pfad, der nirgendwohin führte.

»Sie war es... sie hat mir geholfen«, murmelte ich, während sich das Schwindelgefühl weiter verstärkte.

»Nun füge einer ohnehin schon außergewöhnlichen Welt nicht noch deine Phantastereien hinzu«, sagte Petrus, trat neben mich und faßte mich unter. »Sie kam vom Kloster von Cañas, das etwa fünf Kilometer von hier entfernt liegt. Deshalb kannst du es auch nicht sehen.«

Mein Herz schlug noch immer heftig, und ich spürte, daß mir gleich übel werden würde. Ich konnte nichts sagen, geschweige denn um eine Erklärung bitten. Ich setzte mich auf den Boden, und Petrus erfrischte mich mit Wasser auf Stirn und Nacken. Ich erinnerte mich daran, daß er das auch getan hatte, nachdem wir aus dem Haus der Frau gekommen waren. Doch damals hatte ich geweint und mich gut gefühlt. Jetzt war es genau umgekehrt.

Petrus ließ mich so lange ausruhen, wie ich es brauchte. Das Wasser belebte mich etwas, und die Übelkeit ließ allmählich nach. Als ich mich wieder gestärkt fühlte, forderte mich Petrus auf, ein wenig zu gehen, und ich gehorchte ihm. Wir gingen etwa eine Viertelstunde, dann mußte ich wieder rasten. Wir setzten uns an den Fuß eines *rollo,* einer der vielen mittelalterlichen Säulen mit einem Kreuz darauf, die die Rota Jacobea säumen.

»Die Angst hat dir mehr zugesetzt als der Hund«, bemerkte Petrus.

Ich wollte wissen, was es mit dieser absurden Begegnung auf sich hatte.

»Im Leben wie auch auf dem Jakobsweg gibt es bestimmte Dinge, die unabhängig von unserem Willen geschehen. Bei unserer ersten Begegnung sagte ich dir, daß ich im Blick des Zigeuners den Namen des Dämons gelesen habe, dem du dich würdest stellen müssen. Ich war erstaunt zu sehen, daß dieser Dämon ein Hund war, doch ich sagte damals nichts. Erst als wir zum Haus der Frau kamen und du zum ersten Mal die alles verschlingende Liebe manifestiert hast, sah ich deinen Feind.

Als du den Hund von dieser Frau entferntest, hast du ihn nirgendwo hingeschickt. Nichts geht verloren, alles verändert sich, so ist es doch, nicht wahr? Du hast nicht wie Jesus die Geister einer Herde Schweine vorgeworfen, die sich in den Abgrund stürzte. Du hast den Hund einfach nur vertrieben. Jetzt hat sich diese ziellose Kraft an deine Fersen geheftet. Bevor du dein Schwert findest, wirst du entscheiden müssen, ob du Sklave oder Herr dieser Kraft sein willst.«

Die Müdigkeit fiel nach und nach von mir ab. Ich atmete tief durch, spürte den kühlen Stein der Säule an meinem Rücken. Petrus gab mir noch etwas Wasser und fuhr fort:

»Besessenheit tritt dann auf, wenn die Menschen die Macht über die Kräfte der Erde verlieren. Der Fluch des Zigeuners hat jene Frau mit Angst erfüllt, und die Angst schlug die Bresche, durch die der Bote des Toten eingedrungen ist. Dies ist zwar kein gewöhnlicher Fall von Besessenheit, doch selten ist er auch wieder nicht. Es kommt eben sehr darauf an, wie man auf anderer Leute Drohungen reagiert.«

Mir fiel ein Abschnitt aus der Bibel ein. Im Buch Hiob steht: »Alles, was ich am meisten fürchtete, geschah mir.«

»Eine Drohung löst nichts aus, wenn sie nicht angenommen wird. Wenn du den guten Kampf kämpfst, darfst du das nie vergessen. Ebenso wie du nie vergessen darfst, daß Angriff und Flucht zum Kampf gehören. Nicht zum Kampf gehört, vor Angst gelähmt stehenzubleiben.«

Ich hatte keine Angst gefühlt. Ich wunderte mich selbst darüber und sagte das zu Petrus.

»Das habe ich durchaus bemerkt. Andernfalls hätte dich der Hund angegriffen. Und er hätte den Kampf ganz sicher gewonnen. Doch der Hund hatte auch keine Angst. Das Witzigste war die Ankunft dieser Nonne. Als du eine positive Gegenwart spürtest, hat dich deine blühende Phantasie glauben machen, daß jemand gekommen war, um dir zu helfen. Und dieser Glaube hat dich gerettet. Auch wenn er auf einer vollkommen falschen Grundlage entstanden war.«

Petrus hatte recht. Er lachte laut, und ich stimmte in sein Gelächter ein. Wir erhoben uns, um unsere Wanderung fortzusetzen. Ich fühlte mich heiter und unbeschwert.

»Noch etwas«, fügte Petrus an. »Das Duell mit dem Hund kann nur mit dem Sieg von einem von euch beiden enden. Der Hund wird wiederkommen, und das nächste Mal wird er versuchen, den Kampf bis zu Ende auszufechten. Sonst wird sein Geist dich für den Rest deines Lebens in Atem halten.«

Als wir dem Zigeuner begegnet waren, hatte Petrus mir gesagt, er kenne den Namen dieses Dämons. Ich fragte danach.

»Legion«, sagte er. »Denn es sind ihrer viele.«

Wir gingen über Felder, die die Bauern für die Aussaat vorbereiteten. Vereinzelte Landarbeiter betätigten primitive Wasserpumpen. Am Rande des Jakobsweges bilden aufgeschichtete Steine endlose Mauern, die sich überschneiden und in den Umrissen der Felder verschwinden. Ich dachte an die vielen Jahrhunderte, in denen diese Felder nun schon bestellt worden waren, und dennoch tauchte immer wieder ein Stein auf, der weggeschafft werden mußte, der die Flugschar zerbrach, das Pferd lahmen und die Hände des Landarbeiters schwielig werden ließ.

Petrus ging schweigend neben mir her, und mir fiel auf, daß er seit dem Morgen kaum etwas gesagt hatte. Nach der Unterhaltung bei der mittelalterlichen Säule hatte er sich hinter seinem Schweigen verschanzt und einen Großteil meiner Fragen unbeantwortet gelassen. Ich hätte gern mehr über die Geschichte mit den »vielen Dämonen« erfahren. Jeder Mensch habe nur einen Boten, hatte er mir erklärt, doch mehr war im Moment nicht aus ihm herauszuholen. Dann mußte ich eben auf eine bessere Gelegenheit warten.

Wir stiegen eine kleine Anhöhe hinauf, und oben angekommen sahen wir den Hauptturm der Kirche von Santo Domingo de la Calzada. Der Anblick munterte mich auf. Ich begann vom Komfort und dem Zauber des Parador Nacional zu träumen. Ich hatte gelesen, daß das Gebäude vom heiligen Antonius höchstpersönlich als Pilgerherberge erbaut worden war. Einmal hatte dort auch der heilige Franziskus von Assisi auf seinem Weg nach Compostela übernachtet. All das machte mich ganz aufgeregt.

Es war etwa sieben Uhr abends, als Petrus mich stehenbleiben hieß. Ich erinnerte mich an Roncesvalles, an das langsame Gehen, als es mich wegen der Kälte so sehr nach einem Glas Wein verlangt hatte, und ich befürchtete, daß er etwas Ähnliches im Schilde führte.

»Ein Bote wird dir niemals dabei helfen, einen anderen zu vernichten, denn Boten sind weder gut noch böse, doch einander loyal verbunden. Vertraue nicht darauf, daß dein Bote dir hilft, den Hund zu besiegen.«

Jetzt wollte ich nicht über Boten sprechen. Ich wollte schnell in Santo Domingo ankommen.

»Die Boten toter Menschen können den Körper von jemanden besetzen, der von Angst beherrscht wird. Daher sind es wie im Falle des Hundes viele. Die Angst der Frau hat sie gerufen. Nicht nur den Boten des toten Zigeuners, sondern die vielen, die auf der Suche nach einer Möglichkeit, mit den Kräften der Erde in Kontakt zu treten, im Raum umherirren.«

Erst jetzt beantwortete er meine Frage. Die seltsam gekünstelte Art, wie er mit mir sprach, sagte mir, daß er überhaupt nicht darüber reden wollte. Mein Instinkt warnte mich, doch ich fragte trotzdem:

»Was soll das, Petrus?«

Mein Führer antwortete nicht. Er verließ den Weg und ging auf einen alten, fast entlaubten Baum zu, der ein gutes Stück abseits auf dem Feld stand und weit und breit der einzige Baum war. Da er mir nicht bedeutet hatte, ihm zu folgen, blieb ich auf dem Weg stehen. Und wurde Zeuge einer seltsamen Szene: Petrus ging um den Baum herum und sagte etwas mit lauter Stimme, während er zu Boden blickte. Als er geendet hatte, machte er mir ein Zeichen.

»Setz dich hierhin«, sagte er. Seine Stimme klang anders als sonst, irgendwie zärtlich, vielleicht auch traurig. »Du bleibst jetzt hier. Morgen treffe ich dich in Santo Domingo de la Calzada.«

Bevor ich noch etwas sagen konnte, fuhr Petrus fort:

»Bald schon, aber ganz sicher nicht heute, wirst du dich deinem wichtigsten Feind auf dem Jakobsweg stellen müssen: dem Hund. Wenn dieser Tag gekommen ist, bleib ruhig, denn ich werde in der Nähe sein und dir die Kraft geben, die du zu deinem Kampf brauchen wirst. Doch heute wirst du dich einem anderen Feind stellen, einem fiktiven Feind, der dich zerstören oder dein bester Gefährte sein kann: dem Tod.

Der Mensch ist das einzige Wesen in der Natur, dem bewußt ist, daß es sterben wird. Daher, und nur daher, empfinde ich eine tiefe Achtung vor der menschlichen Spezies und glaube, daß ihre Zukunft besser sein wird als ihre Gegenwart. Obwohl ich weiß, daß ihre Tage gezählt sind und alles enden wird, wenn man es am wenigsten erwartet, ist er es, der das Leben zu einem Kampf macht, der eines ewigen Wesens würdig ist. Was die Leute Eitelkeit nennen – Werke, Kinder hinterlassen, etwas tun, damit der eigene Name niemals vergessen wird –, halte ich für einen Ausdruck der menschlichen Würde.

Schwach, wie er ist, versucht der Mensch jedoch die Gewißheit des Todes zu verdrängen. Er sieht nicht, daß gerade dieser der Antrieb für die besten Taten im Leben ist. Der Mensch hat Angst vor Schritten im Dunklen, alles Unbekannte erfüllt ihn mit Schrecken, und er kann seine Angst nur überwinden, indem er vergißt, daß seine Tage gezählt sind. Dabei wäre er doch andererseits imstande, so viel mehr zu wagen, in seinem täglichen Leben Erfolg zu haben und weiterzukommen – er hat ja nichts zu verlieren, denn der Tod ist unausweichlich.

Der Tod ist unser großer Verbündeter, weil er unserem Leben den wahren Sinn gibt. Doch um das wahre Antlitz unseres Todes zu sehen, müssen wir alle Ängste und Schrecken kennen, die die einfache Erwähnung seines Namens in jedem Lebewesen zu wecken imstande ist.«

Petrus hockte sich unter den Baum und bat mich, mich neben ihn zu setzen. Dann zog er zwei belegte Brote aus dem Rucksack, die er mittags gekauft hatte.

»Hier droht dir keine Gefahr«, sagte er, indem er mir die belegten Brote reichte. »Es gibt keine giftigen Schlangen, und der Hund wird dich erst wieder angreifen, wenn er die Niederlage von heute morgen vergessen hat. In der Umgebung gibt es auch keine Wegelagerer und ähnliches. Du befindest dich an einem absolut sicheren Ort. Mit einer Ausnahme: der Gefahr deiner Angst.

Vor zwei Tagen hast du ein Gefühl erlebt, so intensiv und heftig wie der Tod – die alles verschlingende Liebe. Und du hast zu keinem Zeitpunkt geschwankt oder dich gar gefürchtet, weil du unvoreingenommen auf die universelle Liebe reagiert hast. Doch wir alle haben Vorurteile in bezug auf den Tod, weil wir nicht begreifen, daß er nur eine weitere Manifestation der Agape ist.«

Ich entgegnete, daß ich durch das jahrelange Training der Magie praktisch jegliche Angst verloren hätte. Ich fürchtete mich in Wahrheit mehr vor der Art, wie ich sterben würde, als vor dem Tod an sich.

»Nun, dann wirst du heute die schlimmste Todesart erleben.«

Und Petrus lehrte mich das *Exerzitium des Lebendigbegraben-Werdens.*

DAS EXERZITIUM
DES LEBENDIG-BEGRABEN-WERDENS

*Lege dich auf den Boden und entspanne dich.
Falte deine Hände auf der Brust und liege da
wie eine Leiche.*

*Stelle dir deine Beerdigung in allen Einzelheiten
vor, als würde sie morgen stattfinden. Der Unterschied ist jedoch, daß du lebendig begraben
werden wirst. Während sich alles abspielt – die
Andacht in der Kapelle, der Weg zum Grab,
das Herablassen des Sarges, die Würmer in der
Grube –, spanne deine Muskeln im Versuch, sie
zu bewegen, immer stärker an. Spanne deine
Muskeln, so stark es irgend geht, an. Widerstehe
dem Wunsch, dich zu bewegen.*

*Bis zu dem Augenblick, in dem du es nicht mehr
aushältst. Dann sprenge die Bretter des Sarges mit
einer einzigen Bewegung, atme tief ein. Jetzt bist
du frei.*

*Diese Bewegung hat noch mehr Wirkung, wenn
sie von einem aus den Tiefen deines Körpers her-
rührenden Schrei begleitet wird.*

»Du darfst es nur einmal durchführen«, sagte er, und mir fiel spontan eine ähnliche Schauspielübung ein. »Du mußt die ganze Wahrheit, die ganze Angst erwecken, damit das Exerzitium an den Wurzeln deiner Seele rüttelt und deinem Tod die Schreckensmaske abreißt, die sein freundliches Antlitz verdeckt.«

Petrus stand auf, und seine Gestalt hob sich scharf gegen den im Abendlicht lodernden Himmel ab. Da ich sitzen geblieben war, wirkte er überwältigend, wie ein Riese.

»Eine Frage habe ich noch, Petrus.«

»Und die wäre?«

»Heute morgen warst du schweigsam und merkwürdig. Hast du noch vor mir geahnt, daß der Hund kommen würde?«

»Als wir gemeinsam die alles verschlingende Liebe erlebten, teilten wir die Erfahrung des Absoluten. Das Absolute zeigt allen Menschen, wer sie wirklich sind, ein unendliches Netz aus Ursache und Wirkung, wobei jede kleinste Geste des einen sich im Leben des anderen widerspiegelt. Heute morgen war dieser Teil des Absoluten noch sehr lebendig in meiner Seele. Ich hatte nicht nur dein Ich, sondern alles gesehen, was es auf der Welt gibt, ohne Grenzen von Zeit und Raum. Jetzt hat sich die Wirkung etwas gelegt und wird nur beim nächsten Mal, wenn wir die Übung der alles verzehrenden Liebe machen werden, wieder aufleben.«

Ich erinnerte mich an Petrus' schlechte Laune an diesem Morgen. Wenn das, was er sagte, stimmte, dann mußte die Welt einen schwierigen Augenblick durchmachen.

»Ich werde im Parador auf dich warten«, sagte er im

Weggehen. »Ich werde deinen Namen am Empfang hinterlassen.«

Ich folgte ihm mit meinem Blick, solange ich konnte. Auf den Feldern zu meiner Linken hatten die Bauern ihre Arbeit beendet und gingen nach Hause. Ich beschloß das Exerzitium zu machen, sobald es ganz dunkel war.

Ich war ruhig. Dies war das erste Mal seit dem Beginn meiner Wanderung auf dem Jakobsweg, daß ich vollkommen allein war. Ich erhob mich und erkundete die Umgebung. Doch die Nacht fiel schnell herein, und ich beschloß zum Baum zurückzukehren, weil ich fürchtete, mich zu verirren. Da es kein Licht gab, das mich hätte blenden können, wäre es durchaus möglich gewesen, im Licht der Sichel des zunehmenden Mondes den Pfad zu sehen und nach Santo Domingo de la Calzada zu gelangen.

Bis zu diesem Augenblick hatte ich keinerlei Angst und glaubte, es würde sehr viel Phantasie notwendig sein, um in mir die Furcht vor einem gräßlichen Tod zu wecken. Doch so alt man auch war: Wenn die Nacht hereinbrach, brachte sie stets die seit unserer Kindheit in der Seele verborgenen Ängste mit sich. Je dunkler es wurde, desto unbehaglicher fühlte ich mich.

Ich befand mich ganz allein auf dem Feld, und wenn ich schreien würde, gab es niemanden, der mich hörte. Mir fiel ein, daß ich am Morgen durchaus einen Kreislaufkollaps hätte haben können. Niemals zuvor in meinem Leben war mein Herz so außer Kontrolle geraten.

Und wenn ich nun gestorben wäre? Das Leben wäre zu Ende gewesen, das war die logische Folgerung. Auf meinem

Weg der ›Tradition‹ hatte ich schon mit vielen Geistern gesprochen. Ich war mir vollkommen sicher, daß es ein Leben nach dem Tode gab, doch ich war nie darauf gekommen zu fragen, wie sich der Übergang vom Leben zum Tode vollzog. Von einer Dimension in die andere überzugehen mußte furchtbar sein. Da konnte man noch so gut vorbereitet sein. Wäre ich beispielsweise an diesem Morgen gestorben, wären der Jakobsweg, die Jahre meiner Ausbildung, die Sehnsucht nach meiner Familie und das in meinem Gürtel versteckte Geld umsonst gewesen. Ich erinnerte mich an eine Pflanze, die in Brasilien auf meinem Arbeitstisch stand. Die Pflanze würde es weiter geben, so wie alle anderen Pflanzen, die Autobusse, den Verkäufer an der Ecke, der immer etwas mehr verlangt, die Telefonistin bei der Auskunft. All diese kleinen Dinge, die hätten verschwinden können, wenn ich tatsächlich heute morgen einen Kollaps gehabt hätte, wurden plötzlich ungeheuer wichtig für mich. Sie, und nicht die Sterne oder die Weisheit, sagten mir, daß ich lebendig war.

Die Nacht war ziemlich dunkel, und am Horizont konnte man den schwachen Widerschein der Stadt erkennen. Ich legte mich auf den Boden und schaute in die Zweige des Baumes über mir. Ich begann seltsame Geräusche zu hören, alle möglichen Geräusche. Sie stammten von den nachtaktiven Tieren, die jetzt auf die Jagd gingen. Petrus konnte nicht alles wissen, wenn er genauso Mensch war wie ich. Wie sollte ich sicher sein, daß es nicht doch Giftschlangen gab. Und Wölfe, die ewigen europäischen Wölfe, sie könnten doch beschlossen haben, eben in dieser Nacht hier umherzustreifen, weil sie meine Witterung aufgenommen hatten. Ein lauteres

Geräusch wie das eines zerbrechenden Zweiges ließ mich aufschrecken und mein Herz wieder heftiger schlagen.

Ich wurde immer angespannter. Es war wohl besser, die Übung gleich zu machen und dann ins Hotel zu gehen. Ich begann mich zu entspannen und faltete die Hände auf der Brust, lag da wie ein Leichnam. Irgend etwas neben mir bewegte sich. Ich schreckte hoch.

Es war nichts. Die Nacht hatte alles eingenommen und die Schrecken des Menschen mit sich gebracht. Ich legte mich wieder hin, diesmal entschlossen, jede Art von Angst für das Exerzitium zu nutzen. Ich merkte, daß ich schwitzte, obwohl die Temperatur ziemlich stark gefallen war.

Ich stellte mir vor, wie der Sarg geschlossen und zugeschraubt wurde. Ich lag reglos da, doch ich war lebendig, hätte meiner Familie gern gesagt, daß ich alles miterlebte, daß ich sie liebte, doch kein Ton kam aus meinem Mund. Mein Vater und meine Mutter weinten, um den Sarg herum standen meine Freunde, und ich war allein! So viele geliebte Menschen waren da, und niemand begriff, daß ich lebte, daß ich noch nicht alles getan hatte, was ich auf dieser Welt hatte tun wollen. Ich versuchte verzweifelt, die Augen zu öffnen, ein Zeichen zu geben, gegen den Sargdeckel zu schlagen. Doch nichts in meinem Körper rührte sich.

Ich spürte, wie der Sarg schwankte, sie trugen mich zu Grabe. Ich konnte das Scheppern der Ringe in den Eisenhalterungen, die Schritte der Menschen und die eine oder andere Stimme hören. Jemand sagte, es würde später ein Abendessen geben, ein anderer meinte, ich sei früh gestorben. Der Duft der Blumen um meinen Kopf herum begann mir die Luft zu nehmen.

Ich erinnerte mich, daß ich aus Furcht, einen Korb zu bekommen, zwei oder drei Frauen nicht den Hof gemacht hatte. Ich erinnerte mich auch an einige Situationen, in denen ich, im Glauben, ich könnte es auch noch später tun, etwas aufgeschoben hatte, was ich eigentlich sofort tun wollte. Ich tat mir selbst unendlich leid, nicht nur, weil ich lebendig begraben wurde, sondern weil ich Angst vor dem Leben hatte. Warum Angst vor einem Nein haben, warum etwas aufschieben, wo doch das Wichtigste ist, das Leben in vollen Zügen zu genießen? Da lag ich nun in einen Sarg gesperrt, und es war zu spät, um umzukehren und den Mut zu zeigen, den ich hätte haben sollen.

Da lag ich nun und war mein eigener Judas gewesen, hatte mich selbst verraten. Da lag ich nun und konnte keinen Muskel bewegen, mein Kopf schrie um Hilfe, und die Menschen dort draußen standen mitten im Leben, fragten sich, was sie heute abend tun würden, blickten die Statuen und die Häuser an, die ich nie wieder sehen sollte. Ein Gefühl großer Ungerechtigkeit erfüllte mich, weil ich begraben wurde, während die anderen weiterlebten. Besser wäre es gewesen, es hätte eine Katastrophe gegeben und wir alle würden jetzt zusammen im selben Boot sitzen, das uns zum selben schwarzen Punkt trug, zu dem ich jetzt getragen wurde. Hilfe! Ich lebe, ich bin nicht gestorben, mein Verstand funktioniert noch!

Sie stellten meinen Sarg am Rand der Grube ab. Sie werden mich begraben! Meine Frau wird mich vergessen, wird einen anderen heiraten und das Geld ausgeben, das wir all diese Jahre zusammengespart haben! Doch was bedeutete das jetzt noch? Ich will jetzt bei ihr sein, denn ich lebe!

Ich höre Weinen, fühle aus meinen Augen Tränen rinnen. Wenn sie jetzt den Sarg öffnen, sähen sie mich und würden mich retten. Doch ich spüre nur, daß der Sarg in die Grube heruntergelassen wird. Plötzlich ist alles dunkel. Vorher war noch ein Lichtschein durch eine Ritze gedrungen, doch nun herrscht vollkommene Dunkelheit. Die Schaufeln der Totengräber klopfen die Erde fest, und ich lebe! Bin lebendig begraben! Ich spüre, wie die Luft drückend wird, der Blumenduft wird unerträglich, und ich höre, wie sich die Schritte der Leute entfernen. Der Schrecken ist allumfassend. Ich kann mich nicht bewegen, und wenn sie jetzt gehen, wird es bald Nacht sein, und niemand wird mich im Grab klopfen hören!

Die Schritte entfernen sich, niemand hört die Schreie, die ich in Gedanken ausstoße, ich bin allein, und die Finsternis, die stickige Luft, der Blumenduft machen mich verrückt. Plötzlich höre ich ein Geräusch. Es sind die Würmer, die Würmer, die immer näher kommen, um mich lebendig zu verschlingen. Ich versuche mit aller Kraft irgendeinen Teil meines Körpers zu bewegen, doch er bleibt reglos. Die Würmer beginnen an mir hochzukriechen. Sie sind ölig und kalt. Sie krabbeln über mein Gesicht, kriechen in meine Hose. Einer dringt in meinen Anus, ein anderer beginnt sich in eines meiner Nasenlöcher zu stehlen. Hilfe! Ich werde bei lebendigem Leibe verschlungen, und niemand hört mich, niemand sagt etwas zu mir. Der Wurm, der in meine Nase gekrochen war, windet sich nun meinen Rachen hinunter. Ich fühle, wie ein weiterer in mein Ohr hineinkriecht. Ich muß hier raus! Wo ist Gott, warum antwortet er nicht? Sie beginnen meine Kehle zu verschlingen, und ich

werde nun nie wieder schreien können! Sie kommen überall herein, durch die Ohren, durch die Mundwinkel, durch
sämtliche Körperöffnungen. Ich spüre diese schleimigen,
öligen Dinger in mir, ich muß schreien, ich muß mich befreien! Ich bin in dieses finstere, kalte Grab gesperrt, bin
allein, werde bei lebendigem Leibe verschlungen! Es gibt
kaum noch Luft, und die Würmer fressen mich auf! Ich
muß mich bewegen. Ich muß diesen Sarg aufbrechen. Mein
Gott, nimm alle meine Kräfte zusammen, denn ich muß
mich bewegen! *Ich muß hier raus, ich muß... ich werde
mich bewegen! Ich werde mich bewegen!*

Ich habe es geschafft!

Die Bretter des Sarges flogen in alle Richtungen, das Grab
verschwand, und ich atmete die reine Luft des Jakobsweges
ein. Ich zitterte von Kopf bis Fuß, war schweißüberströmt.
Doch das war unwichtig: Ich lebte.

Das Zittern hörte nicht auf, doch ich tat nichts, um es
unter Kontrolle zu bringen. Das Gefühl einer unendlichen
Ruhe überkam mich, und ich spürte, daß jemand neben mir
stand. Ich schaute und sah das Gesicht meines Todes. Es
war nicht der Tod, den ich Minuten zuvor erlebt hatte, ein
Tod, der vom Schrecken in meiner Phantasie geschaffen
war, sondern mein wahrer Tod, mein Freund und Ratgeber,
der nie wieder zulassen würde, daß ich auch nur an einem
einzigen Tag meines Lebens feige war. Von nun an würde
er mir mehr als Petrus' Hand und Ratschlag helfen. Er
würde nicht zulassen, daß ich auf morgen verschob, was ich
heute leben konnte. Er würde mich nie wieder vor den
Kämpfen im Leben fliehen lassen und mir helfen, den guten

Kampf zu kämpfen. Nie wieder, zu keinem Zeitpunkt würde ich mich lächerlich fühlen, wenn ich etwas tat. Weil er dort war und mir sagte, daß ich, wenn er einmal meine Hände ergreifen würde, um mit mir in andere Welten zu reisen, dann die größte aller Sünden nicht mitnehmen dürfe: die Reue. Seine Anwesenheit und sein freundliches Antlitz gaben mir die Gewißheit, daß ich nunmehr gierig vom Quell des Lebens trinken würde.

Die Nacht barg nun weder Geheimnisse noch Schrecken. Es war eine glückliche Nacht, eine friedliche Nacht. Als das Zittern vorüber war, erhob ich mich und ging zu den Wasserpumpen der Landarbeiter. Ich wusch die Bermudas aus und zog ein Paar andere an, die ich noch im Rucksack hatte. Dann kehrte ich zum Baum zurück und aß die zwei Butterbrote, die Petrus mir zurückgelassen hatte. Nie hatte ich etwas Köstlicheres gegessen, denn ich lebte, und der Tod schreckte mich nicht mehr.

Ich beschloß, daselbst zu schlafen. Schließlich hatte es nie eine ruhigere Dunkelheit als diese gegeben.

Die persönlichen Schwächen

Wir befanden uns auf einem riesigen Feld, einem flachen Weizenfeld, das sich bis zum Horizont erstreckte. Nur eine mittelalterliche, von einem Kreuz gekrönte Säule, die den Pilgern als Wegweiser diente, unterbrach die Gleichförmigkeit der Landschaft. Als wir bei der Säule angelangt waren, ließ Petrus seinen Rucksack auf die Erde gleiten und kniete nieder.

»Wir wollen beten. Wir wollen um das einzige bitten, was einen Pilger besiegt, wenn er sein Schwert findet: seine persönlichen Schwächen. Denn mag er auch von den großen Meistern noch so gut lernen, wie er die Klinge zu führen hat, eine seiner Hände wird immer sein ärgster Feind sein. Laß uns darum bitten, daß du dein Schwert, so du es findest, immer mit der Hand hältst, die dir keine Schande macht.«

Es war zwei Uhr nachmittags. Es herrschte vollkommene Stille, und Petrus fuhr fort:

»Herr, erbarme Dich unser, denn wir sind Pilger auf dem Jakobsweg, und das kann eine Schwäche sein. Mach mit Deiner unendlichen Barmherzigkeit, daß wir niemals das Wissen gegen uns selbst wenden.

Erbarme Dich derer, die Selbstmitleid fühlen und sich selbst für gut und vom Leben ungerecht behandelt fühlen, weil sie nicht verdient haben, was ihnen geschah – denn diesen wird es nie gelingen, den guten Kampf zu kämpfen. Und erbarme Dich derer, die sich selbst gegenüber grausam sind und nur im eigenen Handeln Böses sehen und sich für die Ungerechtigkeit der Welt verantwortlich machen. Denn diese kannten Dein Gesetz nicht, das da lautet: ›Sogar jedes einzelne deiner Haare ist gezählt.‹

Erbarme Dich derer, die herrschen, und derer, die zu viele Stunden arbeiten und sich in der Aussicht auf einen Sonntag aufopfern, an dem alles geschlossen ist und man nirgendwo hingehen kann. Doch erbarme Dich vor allem derer, die ihr Werk heiligen und die Grenzen ihrer eigenen Verrücktheit überschreiten und schließlich verschuldet sind oder von ihren eigenen Brüdern ans Kreuz geschlagen werden. Denn sie kannten Dein Gesetz nicht, das da lautet: ›Seid klug wie die Schlange und sanft wie die Taube.‹

Erbarme Dich, denn der Mensch will die Welt besiegen und niemals den guten Kampf gegen sich selber austragen. Erbarme Dich auch derer, die diesen guten Kampf gewonnen haben und heute an den Ecken und den Bars des Lebens hocken, weil sie die Welt nicht besiegen konnten. Denn sie kannten Dein Gesetz nicht, das da lautet: ›Wer meinen Worten folgt, muß sein Haus auf Fels bauen.‹

Erbarme Dich derer, die Angst haben, die Feder, den Pinsel, das Instrument, das Werkzeug zu halten, weil sie glauben, andere hätten dies zuvor schon besser als sie selber gemacht, und sich daher nicht würdig fühlen, in das wunderbare Haus der Kunst zu treten. Erbarme Dich vor allem derer, die die Feder, den Pinsel, das Instrument, das Werkzeug gehalten haben und die Inspiration dazu mißbraucht haben zu glauben, sie seien besser als andere. Denn sie kannten Dein Gesetz nicht, das da lautet: ›Nichts ist verborgen, das nicht offenbart wird, und nichts wird im Verborgenen getan, was nicht entdeckt wird.‹

Erbarme Dich derer, die essen und trinken und prassen, jedoch in ihrer Prasserei unglücklich und einsam sind. Doch erbarme Dich vor allem derer, die fasten, tadeln, verbieten und sich als Heilige fühlen und deren Namen auf den Plätzen verkündigen. Denn sie kannten Dein Gesetz nicht, das da lautet: ›Wenn ich Zeugnis über mich selbst ablege, dann ist dieses Zeugnis nicht wahrhaftig.‹

Erbarme Dich derer, die den Tod fürchten und die vielen Königreiche, die dahingegangen sind und die vielen Tode, die sie schon gestorben sind, nicht kennen und unglücklich sind, weil sie glauben, daß eines Tages alles zu Ende sein wird. Doch erbarme Dich vor allem derer, die schon viele Tode kennengelernt haben und sich heute für unsterblich halten, denn sie kannten Dein Gesetz nicht, das da lautet: ›Wer nicht neu geboren wird, wird Gottes Reich nicht sehen können.‹

Erbarme Dich derer, die sich um des Seidenbandes der Liebe willen versklaven und sich für den Herrn eines anderen halten und Eifersucht fühlen und sich vergiften und sich quälen, weil sie nicht sehen können, daß die Liebe sich ändert wie der Wind und alle Dinge. Doch erbarme Dich vor allem derer, die aus Angst vor der Liebe vergehen und die Liebe im Namen einer höheren Liebe, die sie nicht kennen, abweisen, denn sie kannten Dein Gesetz nicht, das da lautet: ›Wer von diesem Wasser trinkt, den wird nie wieder dürsten.‹

Erbarme Dich derer, die den Kosmos auf eine Erklärung

reduzieren, Gott zu einem Zaubertrank machen und den Menschen zu einem Wesen mit Grundbedürfnissen, die befriedigt werden müssen, denn diese werden nie die Sphärenmusik hören. Doch erbarme Dich vor allem derer, deren Glaube blind ist und die in den Laboratorien Quecksilber zu Gold machen und von Büchern über die Geheimnisse des Tarots und die Macht der Pyramiden umgeben sind. Denn sie kennen Dein Gesetz nicht, das da lautet: ›Und den Kindern gehört das Himmelreich.‹

Erbarme Dich derer, die niemanden außer sich selbst sehen und für die die anderen nur ein undeutliches, fernes Szenarium sind, wenn sie in ihren Limousinen durch die Straßen fahren und sich in bis zum obersten Stockwerk klimatisierten Gebäuden verschanzen und unter der Stille und der Einsamkeit der Macht leiden. Doch erbarme Dich vor allem derer, die alles weggeben und wohltätig sind und versuchen, das Böse allein mit Liebe zu besiegen, weil diese Dein Gesetz nicht kannten, das da lautet: ›Wer kein Schwert hat, der möge seinen Umhang veräußern und eines kaufen.‹

Herr, erbarme Dich unser, die wir suchen und wagen, das Schwert zu ergreifen, das Du uns versprochen hast, denn wir sind ein heiliges und sündiges über die Welt verstreutes Volk, weil wir uns selbst nicht kennen und häufig denken, daß wir Kleider tragen, obwohl wir nackt sind, weil wir denken, wir hätten ein Verbrechen begangen, und in Wahrheit jemanden gerettet haben. Vergiß in Deiner Barmherzigkeit nicht, daß wir alle das Schwert gleichzeitig mit der Hand eines Engels und der Hand eines Dämons halten. Denn wir sind in der Welt, bleiben in der Welt und brauchen Dich. Wir brauchen immer Dein Gesetz, das da lautet:

›Wenn ich euch ohne Beutel, Sack und Sandalen schickte, hat euch nichts gefehlt.‹«

Petrus hörte auf zu beten. Es herrschte weiterhin Stille. Er starrte auf das Weizenfeld um uns herum.

Der Sieg über sich selbst

Eines Abends erreichten wir eine alte Burg des Templerordens. Wir rasteten dort, und Petrus rauchte seine übliche Zigarette, und ich trank ein bißchen von dem Wein, der von unserem Mittagsmahl übriggeblieben war. Ich blickte auf die Landschaft: einige Bauernhäuser, der Burgturm, das hügelige Feld, das gepflügte, für die Aussaat vorbereitete Land. Plötzlich tauchte hinter den verfallenen Mauern rechts von mir ein Hirte auf, der mit seinen Schafen vom Feld zurückkam. Der Himmel war rot, der von den Tieren aufgewirbelte Staub ließ die Landschaft verschwimmen, als wäre es ein Traum, eine magische Vision. Der Hirte hob die Hand und winkte uns zu. Wir winkten zurück.

Die Schafe zogen vor uns vorbei und setzten ihren Weg fort. Petrus erhob sich.

»Nun komm. Wir müssen uns beeilen«, sagte er.

»Warum?«

»Darum. Findest du nicht, daß wir schon ziemlich lange auf dem Jakobsweg sind?«

Doch irgend etwas sagte mir, daß seine Eile etwas mit der magischen Szene mit dem Hirten und seinen Schafen zu tun hatte.

Zwei Tage später erreichten wir einige Berge, die im Süden aufragten und die Monotonie der riesigen Weizenfelder durchbrachen. Das Terrain wies einige Erhebungen auf, doch es war gut sichtbar von den gelben Zeichen markiert, auf die mich Pater Expeditus hingewiesen hatte. Petrus ließ die Markierungen jedoch kommentarlos links liegen und wandte sich nach Norden. Ich machte ihn darauf aufmerksam, und seine Anwort war kurz angebunden, daß er der Führer sei und wisse, wohin er mich führe.

Nach einer halben Stunde Wegstrecke begann ich ein Geräusch zu hören, das so klang wie herabstürzendes Wasser. Um uns herum lagen nur sonnenverbrannte Felder, und ich fragte mich, was das wohl für ein Geräusch war. Doch je länger wir wanderten, desto lauter wurde das Geräusch, bis kein Zweifel mehr daran bestand, daß es von einem Wasserfall stammte. Das Merkwürdigste war nur, daß ich um mich blickte und weder Berge noch Wasserfälle sehen konnte.

Erst als wir über einen kleinen Hügel gekommen waren, stand ich vor einem außergewöhnlichen Werk der Natur: In einer Bodensenke, in die ein fünfstöckiges Haus passen würde, floß Wasser ins Innere der Erde. Die Wände dieses riesigen Loches waren von einer üppigen Vegetation bedeckt, die so ganz anders als die der Umgebung war und das herabstürzende Wasser umrahmte.

»Laß uns dort hinuntersteigen«, schlug Petrus vor.

Wir stiegen langsam hinunter, und mir kam es so vor, als stiegen wir wie bei Jules Verne zum Mittelpunkt der Erde. Der Abstieg war steil und schwierig, und ich mußte mich an den dornigen Zweigen und scharfen Steinen festhalten, um nicht abzustürzen. Mit völlig zerkratzten Armen und Beinen kam ich unten an.

»Ein schönes Werk der Natur«, sagte Petrus.

Ich stimmte ihm zu. Eine Oase mitten in der Wüste. Sie war dicht bewachsen, und die Wassertropfen bildeten einen Regenbogen.

»Hier erlaubt uns die Natur, auch unsere Kraft zu zeigen. Laß uns den Wasserfall hinaufklettern«, sagte mein Führer. »Mitten durch das Wasser.«

Ich betrachtete das Szenarium vor mir noch einmal. Jetzt sah ich nicht mehr die Schönheit der Oase, die zauberhafte Laune der Natur. Ich stand vor einer über fünfzehn Meter hohen Wand, über die das Wasser mit ohrenbetäubendem Rauschen herabstürzte. Der kleine, durch das herabfallende Wasser geschaffene See war nicht mehr als mannstief, denn der Fluß floß tosend in eine Öffnung ab, die in die Tiefen der Erde hinabzureichen schien. Es gab an der Wand nichts, woran ich mich hätte festhalten können, und der kleine See war nicht tief genug, um einen Sturz aufzufangen. Ich stand vor einer vollkommen unlösbaren Aufgabe.

Mir fiel ein Erlebnis wieder ein, das ich vor fünf Jahren während eines Rituals gehabt hatte, bei dem es wie bei diesem um einen Kletteraufstieg ging. Der Meister hatte mir freigestellt, weiterzumachen oder nicht. Ich war damals jünger und von seinen Kräften und den Wundern der ›Tradition‹ fasziniert und beschloß weiterzuklettern. Ich mußte meinen Mut und meinen Schneid beweisen.

Nach einem fast halbstündigen Aufstieg lag der schwierigste Teil vor mir. Da kam ein Wind auf, der so stark war, daß ich mich mit aller Kraft an einem kleinen Absatz festklammern mußte, auf den ich mich gestützt hatte, damit ich nicht herunterstürzte. Ich schloß die Augen, war auf das Schlimmste gefaßt und hatte meine Fingernägel in den Fels gegraben. Um so überraschter war ich, als ich kurz darauf bemerkte, daß mir jemand in eine bequemere, sicherere Stellung half. Ich öffnete die Augen, und der Meister war neben mir.

Auf ein paar Winke von ihm schwieg der Wind plötzlich. Mit geradezu unheimlicher Geschicklichkeit, in der es Augenblicke reinster Levitation gab, stieg er den Berg hinunter und winkte mir, ihm zu folgen.

Ich kam mit schlotternden Beinen unten an und fragte empört, warum er dem Wind nicht Einhalt geboten habe, bevor er mich traf.

»Weil ich es war, der den Wind hat wehen lassen«, antwortete er.

»Um mich zu töten?«

»Um dich zu retten. Du wärest nicht in der Lage gewesen, diesen Berg zu besteigen. Als ich dich fragte, ob du ihn besteigen wolltest, wollte ich nicht deinen Mut auf die Probe stellen, sondern deine Weisheit.

Du selbst hast dir einen Befehl geschaffen, den ich nicht gegeben habe«, sagte der Meister. »Könntest du levitieren, gäbe es kein Problem. Aber du wolltest tapfer sein, wo es nur darum ging, intelligent zu sein.«

An jenem Tag erzählte er mir von Meistern, die während des Prozesses der Erleuchtung wahnsinnig geworden seien und nicht mehr zwischen ihren Kräften und den Kräften ihrer Schüler unterscheiden konnten. Im Laufe meines Lebens bin ich vielen Größen der ›Tradition‹ begegnet. Ich habe drei Meister kennengelernt – unter anderem meinen eigenen –; sie waren physisch zu Dingen fähig, die weit über das hinausgingen, was Menschen sich erträumen mögen. Ich habe Wunder erlebt, genaue Voraussagen der Zukunft gehört, vergangene Inkarnationen gesehen. Mein Meister hat mir schon zwei Monate, bevor die Argentinier die Insel überfielen, vom Falklandkrieg erzählt. Er beschrieb ihn in allen Einzelheiten, erklärte mir – auf der astralen Ebene –, weshalb dieser Konflikt stattfinden mußte.

Doch von diesem Tag an begann ich auch zu bemerken, daß es auch Meister gibt, die, wie *mein* Meister sagte, »während des Prozesses der Erleuchtung wahnsinnig wurden«. Das sind Menschen, die den Meistern in allem fast gleichen, auch was ihre Kräfte betrifft: Einen von ihnen habe ich gesehen, wie er in fünfzehnminütiger Konzentration ein Samenkorn zum Sprießen brachte. Doch dieser Mann – und einige andere – hatte bereits viele Schüler in den Wahnsinn und in die Verzweiflung getrieben. Es hatte Leute gegeben, die waren in psychiatrischen Anstalten gelandet, und es gibt zumindest einen bestätigten Selbstmord. Diese Männer stehen auf der sogenannten »schwarzen Liste« der ›Tradition‹, doch sie lassen sich nicht kontrollieren, und viele von ihnen sind noch heute tätig.

Diese Geschichte schoß mir durch den Kopf, als ich diesen Wasserfall anschaute, der unmöglich erklommen werden konnte. Ich dachte an die lange Zeit, die Petrus und ich zusammen gewandert waren, ich erinnerte mich an den Hund, der mich angegriffen und dem ich nichts getan hatte, an Petrus' Aufbrausen im Restaurant wegen des jungen Mannes, der uns bedient hatte, an seine Trunkenheit während der Hochzeitsfeier. Nur daran konnte ich mich erinnern.

»Petrus, ich werde diesen Wasserfall auf gar keinen Fall hinaufklettern. Aus einem einzigen Grunde: Es ist unmöglich.«

Statt zu antworten, setzte er sich schweigend ins Gras. Ich setzte mich neben ihn. Wir schwiegen eine geschlagene Viertelstunde. Sein Schweigen verwirrte mich, und ich ergriff als erster das Wort.

»Petrus, ich will diesen Wasserfall nicht hinaufklettern, weil ich fallen könnte. Ich weiß, daß ich nicht sterben werde, denn als ich das Antlitz meines Todes sah, sah ich auch den Tag, an dem er kommen wird. Doch ich könnte für den Rest meines Lebens zum Krüppel werden.«

»Paulo, Paulo...«, rügte er lächelnd. Er hatte sich vollkommen verändert. In seiner Stimme war etwas von dieser alles verschlingenden Liebe, und seine Augen leuchteten.

»Du wirst sicher gleich sagen, daß ich mein Gehorsamsgelübde breche, das ich abgegeben habe, bevor ich den Weg antrat.«

»Nein, nein, du brichst das Gelübde nicht. Du hast keine Angst und bist auch nicht faul. Zudem wirst du nicht gedacht haben, daß ich einen unnützen Befehl gebe. Du willst nicht hinaufklettern, weil du an die ›Schwarzen Meister‹ denkst. Von deiner Entscheidungsfreiheit Gebrauch machen bedeutet nicht, ein Gelübde zu brechen. Diese Freiheit wird einem Pilger niemals versagt.«

Ich blickte auf den Wasserfall und dann wieder zu Petrus. Ich schätzte die Möglichkeiten eines Aufstiegs ab und sah keine.

»Hör gut zu«, sagte er. »Ich werde vor dir hinaufklettern, ohne irgendeine Gabe zu benutzen. Und ich werde es schaffen. Wenn ich es schaffe, dann nur, weil ich weiß, wohin ich die Füße setzen muß. Du mußt es genauso machen. Auf diese Art hebe ich deine Entscheidungsfreiheit auf. Erst wenn du dich weigerst, nachdem du mich hast hinaufklettern sehen, brichst du dein Gelübde.«

Petrus begann seine Turnschuhe auszuziehen. Er war mindestens zehn Jahre älter als ich, und wenn er es schaffte, hatte ich ihm nichts mehr entgegenzusetzen. Ich schaute den Wasserfall an, und mir wurde ganz mulmig.

Doch Petrus rührte sich nicht von der Stelle. Barfuß saß er da, schaute in den Himmel und sagte:

»Einige Kilometer von hier entfernt ist im Jahre 1502 einem Hirten die Jungfrau Maria erschienen. Heute ist ihr Fest, das Fest der Heiligen Jungfrau des Weges, und ihr widme ich meinen Sieg. Ich rate dir, dasselbe zu tun. Schenk ihr nicht den Schmerz, den du in den Füßen spürst, und auch nicht die Wunden, die dir die Steine an den Händen zufügen werden. Alle bieten immer nur den Schmerz ihrer Buße dar. Darin ist nichts Verwerfliches, doch ich glaube, daß es sie glücklich macht, wenn die Menschen ihr auch ihre Freude darbieten.«

Ich hatte keine Lust zu reden. Ich zweifelte noch immer daran, daß Petrus es schaffen würde, die Wand hinaufzuklettern. Ich hielt das alles für eine Farce und glaubte, daß er mich im Grunde nur zu etwas überreden wollte, was mir widerstrebte. Für alle Fälle schloß ich dennoch die Augen und betete zur Jungfrau des Weges. Ich versprach ihr, daß ich, wenn Petrus und ich es schaffen würden, die Wand hinaufzuklettern, eines Tages an diesen Ort zurückkehren würde.

»Alles, was du bis heute gelernt hast, hat nur einen Sinn, wenn es auf etwas angewandt wird. Erinnere dich daran, daß ich dir gesagt habe, der Jakobsweg sei der Weg der gewöhnlichen Menschen. Tausendmal habe ich das gesagt. Auf dem Jakobsweg und im Leben ist Weisheit nur dann etwas wert, wenn sie dem Menschen hilft, Hindernisse zu überwinden.

Ein Hammer wäre ein sinnloser Gegenstand, gäbe es nicht Nägel, die er einschlagen kann. Und selbst wenn es Nägel gibt, die er einschlagen kann, hätte der Hammer keine Aufgabe, wenn ich nur denken würde: ›Diese Nägel kann ich mit zwei Schlägen einschlagen.‹ Der Hammer muß agieren, sich der Hand des Besitzers anvertrauen und seiner Aufgabe gemäß benutzt werden.«

Mir fielen die Worte des Meisters in Itatiaia wieder ein: »Wer ein Schwert besitzt, muß es ständig auf die Probe stellen, damit es nicht in der Scheide verrostet.«

»Der Wasserfall ist der Ort, an dem du alles, was du bislang gelernt hast, in die Praxis umsetzen wirst«, sagte mein Führer. »Einen Vorteil hast du bereits: Du kennst das Datum deines Todes, und die Angst wird dich nicht lähmen, wenn du schnell entscheiden mußt, wo du dich abstützen sollst. Doch vergiß nicht, daß du mit dem Wasser arbeiten und es für deine Zwecke nutzen mußt. Und vergiß auch nicht, deinen Fingernagel ins Nagelbett des Daumens zu graben, wenn ein böser Gedanke dich beherrscht.

Vor allem mußt du dich die ganze Zeit auf die alles verschlingende Liebe stützen, weil sie dich führt und all deine Schritte rechtfertigt.«

Petrus unterbrach sich, zog sein Hemd und die Bermudas aus. Vollkommen nackt stieg er in das kalte Wasser der kleinen Lagune, tauchte ganz ein und streckte die ausgebreiteten Arme zum Himmel. Ich sah, daß er glücklich war und das kühle Wasser und den Regenbogen genoß, den die Wassertropfen um uns herum bildeten.

»Da ist noch etwas«, sagte er, bevor er durch den Schleier des Wasserfalles ging. »Dieser Wasserfall wird dich lehren, ein Meister zu sein. Ich werde hinaufsteigen, doch zwischen dir und mir wird immer ein Wasserschleier liegen. Ich werde hinaufsteigen, ohne daß du sehen kannst, wohin ich meine Füße setze und wohin meine Händen greifen.

Auch ein Schüler wird niemals die Schritte seines Meisters nachahmen können. Denn jeder hat seine eigene Art zu leben, mit den Schwierigkeiten und mit den Erfolgen fertig zu werden. Lehren heißt zeigen, daß etwas möglich ist. Lernen heißt, seine eigenen Möglichkeiten ausloten.«

Mehr sagte er nicht. Er trat hinter den Schleier des Wasserfalls und begann hinaufzuklettern. Ich sah seine Gestalt nur wie durch Milchglas. Langsam und stetig stieg er hinauf. Je näher er dem Ziel kam, desto mehr fürchtete ich mich, denn nun war bald ich dran. Schließlich kam der schwierigste Moment: das herunterstürzende Wasser zu durchqueren. Eigentlich hätte ihn die Wucht des Wassers niederwerfen müssen. Doch Petrus' Kopf tauchte auf, und das Wasser wurde zu seinem silbrigen Mantel. Dann hievte er sich mit einer einzigen Bewegung empor, und ich verlor ihn sekundenlang aus den Augen.

Dann erschien Petrus endlich an einem der Ufer. Sein Körper war naß, glitzerte in der Sonne. Er lächelte.

»Los!« rief er, indem er mir zuwinkte. »Jetzt bist du an der Reihe.«

Jetzt war ich an der Reihe. Oder ich mußte meinem Schwert auf immer entsagen.

Ich zog mich ganz aus und betete wieder zur Heiligen Jungfrau des Weges. Dann machte ich einen Kopfsprung ins Wasser. Es war eiskalt, und mein Körper wurde beim Eintauchen ganz steif. Doch dann spürte ich das wunderbare Gefühl, am Leben zu sein. Ich watete auf den Wasserfall zu.

Das Wasser, das auf meinen Kopf niederrauschte, gab mir wieder den absurden »Realitätssinn« zurück, der den Menschen dann schwächt, wenn er seinen Glauben und seine Kraft am meisten braucht. Ich begriff, daß der Wasserfall stärker war, als ich gedacht hatte, und wenn er sich direkt auf meine Brust ergoß, würde er mich umwerfen, auch wenn ich mit beiden Füßen fest im See stand. Ich bahnte mir einen Weg durch das Wasser und stand dann zwischen dem Wasservorhang und dem Stein in einem kleinen Zwischenraum, in den ich, wenn ich mich eng an den Fels preßte, gerade mit meinem Körper paßte. Und da sah ich, daß die Aufgabe leichter war, als ich gedacht hatte.

Das, was ich anfangs für eine glatte Wand gehalten hatte, war in Wahrheit ein Fels mit vielen Einbuchtungen. Mir wurde bei dem Gedanken ganz schwindelig, daß ich aus Angst vor einem glatten Stein beinahe auf mein Schwert verzichtet hätte, der in Wahrheit ein Felsen war, einer von der Art, die ich schon zig Male erklommen hatte. Mir war, als hörte ich Petrus sagen: »Siehst du? Hat man erst ein Problem gelöst, wirkt es umwerfend einfach.«

Ich begann, das Gesicht dicht am Gestein, den feuchten Fels hinaufzuklettern. In zehn Minuten hatte ich die Wand fast ganz erklommen. Doch der Sieg, den ich mit dem Aufstieg errungen hatte, nützte mir nichts, wenn es mir nicht gelang, die kurze Strecke durch den Wasserfall hindurch zu überwinden, die mich vom freien Himmel trennte. Dort lag die Gefahr, und es war eine Gefahr, die Petrus, ich weiß nicht wie, gemeistert hatte. Ich betete noch einmal zur Heiligen Jungfrau des Weges, zu einer Jungfrau, von der ich nie zuvor gehört hatte und in die ich dennoch in diesem Augenblick meinen ganzen Glauben, meine ganze Hoffnung auf einen Sieg setzte. Vorsichtig hielt ich zuerst mein Haar, dann meinen Kopf in das reißende Wasser, das über mir toste.

Das Wasser umhüllte mich ganz und trübte meine Sicht. Ich spürte seinen Aufprall und klammerte mich fest an den Felsen. Dabei hielt ich den Kopf gesenkt, um so eine Luftblase zu bilden, in der ich atmen konnte. Ich vertraute meinen Händen und meinen Füßen vollkommen. Meine Hände hatten schon ein altes Schwert gehalten, meine Füße waren den Jakobsweg gegangen, und sie halfen mir jetzt. Dennoch machte mich das Tosen des Wassers fast taub, und ich rang nach Atem. Ich beschloß, den Wasserstrom mit dem Kopf zu durchstoßen, und sekundenlang war alles um mich herum schwarz. Ich hielt mich mit Händen und Füßen an den Vorsprüngen, doch der Lärm des Wassers schien mich an einen Ort zu tragen, einen geheimnisvollen fernen Ort, an dem nichts mehr wichtig war, wo ich mich physisch nicht überfordern mußte und wo es nur Ruhe und Frieden gab.

Meine Füße und Hände widerstanden der tödlichen Versuchung, mich einfach fallen zu lassen. Und mein Kopf tauchte langsam wieder aus dem Wasser auf. Eine innige Liebe zu meinem Körper erfaßte mich, der mir den abenteuerlichen Weg zu meinem Schwert bestehen half.

Als mein Kopf ganz aus dem Wasser heraus war, sah ich die Sonne über mir leuchten, und ich atmete die Luft um mich herum tief ein. Das gab mir wieder Kraft. Ich schaute um mich und sah wenige Zentimeter über mir die Hochebene, auf der wir zuvor gewandert waren und die das Ende unserer Tagesreise war. Es fiel mir schwer, nicht sofort loszustürzen, doch wegen des fallenden Wassers konnte ich keine Einbuchtung sehen, und so verharrte ich in der schwierigsten Position des gesamten Aufstiegs. Das Wasser prallte gegen meine Brust, als wollte es mich zur Erde zurückzwingen, die ich um meiner Träume willen zu verlassen gewagt hatte.

Jetzt war nicht der Moment, um an Meister und Freunde zu denken. Und ich konnte auch nicht den Kopf wenden, um nachzusehen, ob Petrus da war und mich notfalls retten könnte, falls ich abrutschen sollte. Er hat sicher diesen Aufstieg schon Tausende von Malen gemacht, dachte ich, und weiß genau, daß ich seine Hilfe verzweifelt brauche. Doch er läßt mich im Stich. Oder vielleicht läßt er mich auch nicht im Stich und steht hinter mir, doch ich kann den Kopf nicht wenden, weil ich sonst das Gleichgewicht verliere. Ich muß meinen Sieg ganz allein erringen.

Meine Füße und eine Hand krallten sich weiter in den Fels, während sich die andere Hand löste und versuchte, in Einklang mit dem Wasser zu gelangen. Sie durfte nicht den kleinsten Widerstand leisten, denn ich brachte bereits all meine Kräfte auf. Meine Hand, die das wußte, wurde zu einem Fisch, der sich dem Wasser hingab, jedoch genau wußte, was er wollte. Mir fielen die Filme meiner Kindheit wieder ein, in denen ich Lachse gesehen hatte, die Wasserfälle hinaufsprangen, weil sie ein Ziel hatten und es genau wie ich erreichen mußten.

Der Arm reckte sich langsam empor, machte sich wie ein Lachs die Kraft des Wassers zunutze, tauchte wieder ins Wasser ab, suchte nach Halt an den über die Jahrhunderte glattgespülten Steinen. Irgendwo *mußte* es doch eine Einbuchtung geben: Wenn Petrus es geschafft hatte, schaffte ich das auch. Alles tat mir weh, kurz vor dem Ziel erlahmten meine Kräfte, verlor ich die Zuversicht. Häufiger schon hatte ich in meinem Leben im letzten Augenblick verloren: Ich hatte einen Ozean durchschwommen und war an den letzten kleinen Wellen, die sich am Ufer brachen, gescheitert. Doch jetzt war ich auf dem Jakobsweg, und dieses Scheitern konnte sich nicht ewig wiederholen – heute mußte ich siegen.

Die freie Hand fuhr über den glatten Stein. Der Druck des Wassers nahm zu. Ich spürte, daß der Rest meines Körpers sich verkrampfte. Da plötzlich fand die freie Hand eine Einbuchtung im Stein. Sie war nicht groß und lag außerhalb der Aufstiegsroute. Die andere Hand konnte sich dort aufstützen, wenn sie an der Reihe war. Ich merkte mir die Stelle, und die freie Hand ging weiter auf die Suche nach meiner Rettung. Wenige Zentimeter von der ersten Einbuchtung wartete eine andere auf mich. Das war sie. Das war die Stelle, die seit Jahrhunderten den Pilgern auf dem

DER ATEM DER R.A.M.

*Lasse alle Luft aus deinen Lungen strömen, leere
sie soweit wie möglich. Dann atme langsam ein,
während du die Arme hebst. Konzentriere dich
beim Einatmen, damit Liebe, Friede und Einklang mit dem Universum in dich einziehen.
Halte so lange wie möglich bei erhobenen Armen
die Luft an und genieße die innere und äußere
Harmonie. Dann stoße schnell die ganze Luft aus
und sprich dabei das Wort R.A.M.
Wiederhole dies fünf Minuten lang.*

Jakobsweg als Stütze gedient hatte. Ich klammerte mich mit aller Kraft dort fest. Die andere Hand löste sich, wurde von der Macht des Flusses zurückgeworfen. Doch sie beschrieb einen großen Bogen im Himmel und fand die Stelle, die sie erwartete. Mein Körper folgte dann in einer einzigen Bewegung dem Weg, den meine Hände gebahnt hatten, und ich hievte mich nach oben.

Der letzte große Schritt war getan. Mein ganzer Körper durchstieß das Wasser, und im Augenblick darauf war der Wasserfall nurmehr ein zahmes Bächlein. Ich schleppte mich ans Ufer und überließ mich meiner Erschöpfung. Die Sonne brannte auf meinen Körper und wärmte mich. Und ich wurde mir wieder bewußt, daß ich gesiegt hatte, daß ich lebendig war wie vorher, als ich in dem See dort unten gestanden hatte. Durch das Rauschen des Wassers hindurch hörte ich Petrus' Schritte näher kommen.

Ich wollte aufstehen, um meine Freude zu zeigen, doch mein erschöpfter Körper weigerte sich.

»Bleib ruhig liegen, ruh dich aus«, sagte er. »Versuch langsam zu atmen.«

Ich fiel sofort in einen tiefen, traumlosen Schlaf. Als ich erwachte, war die Sonne schon quer über den ganzen Himmel gewandert, und Petrus, der inzwischen wieder angekleidet war, reichte mir meine Wäsche und sagte, wir müßten nun weitergehen.

»Ich bin zu müde«, wandte ich ein.

»Laß nur. Ich werde dich lehren, Energie aus allem zu beziehen, was dich umgibt.«

Und Petrus lehrte mich den *Atem der R.A.M.*

Ich machte die Übung fünf Minuten lang und fühlte mich

besser. Ich erhob mich, zog mich an und nahm meinen Rucksack.

»Komm her«, sagte Petrus.

Ich ging bis zum Rand der Hochebene. Unter meinen Füßen toste der Wasserfall.

»Von hier oben sieht es bedeutend einfacher aus als von unten«, sagte ich.

»Genau. Und wenn ich dir diesen Ausblick vorher gezeigt hätte, wäre das ein Verrat an dir gewesen. Du hättest deine Möglichkeiten falsch eingeschätzt.«

Ich war noch schwach und machte die Übung noch einmal. Allmählich kam das Universum um mich herum in Einklang mit mir und drang in mein Herz. Ich fragte Petrus, warum er mir den *Atem der R.A.M.* nicht schon früher beigebracht habe, denn ich sei auf dem Jakobsweg häufig matt und müde gewesen.

»Weil du es nie gezeigt hast«, sagte er lachend und fragte mich, ob ich noch ein paar von diesen köstlichen Butterkeksen aus Astroga hätte.

Die Verrücktheit

Seit drei Tagen machten wir nun schon diesen Gewaltmarsch. Petrus weckte mich vor Tagesanbruch, und erst gegen neun Uhr abends machten wir Rast. Gerastet wurde
jetzt nur noch während der Mahlzeiten, denn mein Führer
hatte die Siesta am frühen Nachmittag abgeschafft. Ich hatte
das Gefühl, daß er ein geheimnisvolles Programm erfüllte,
das mir jedoch nicht mitgeteilt wurde.

Hinzu kam, daß er sein Verhalten vollkommen geändert
hatte. Anfangs dachte ich, daß meine Zweifel am Wasserfall
der Grund waren, doch das war es nicht. Er war gereizt und
sah andauernd auf die Uhr, bis ich ihn daran erinnerte, daß
er gesagt hatte, wir selbst schüfen uns unseren Zeitbegriff.

»Du wirst ja jeden Tag klüger«, entgegnete er, »hoffent-
lich setzt du diese Klugheit im entscheidenden Moment
auch ein.«

Eines Nachmittags war ich vom schnellen Wandern so
erschöpft, daß ich einfach nicht mehr aufstehen konnte.
Da befahl mir Petrus, mein Hemd auszuziehen und mein
Rückgrat an einen nahen Baum zu lehnen. Schon nach wenigen Minuten fühlte ich mich besser. Er erklärte mir, daß
die Pflanzen, vor allem ausgewachsene Bäume, imstande
sind, Harmonie zu übertragen, wenn jemand sein Nerven-
zentrum an den Stamm lehnt. Er sprach ausführlich über

die physischen, energetischen und spirituellen Eigenschaften der Pflanzen.

Da ich das alles schon gelesen hatte, machte ich mir nicht die Mühe, es zu notieren. Doch wenigstens glaubte ich jetzt nicht mehr, Petrus sei sauer auf mich, und ich konnte sein Schweigen mit mehr Respekt hinnehmen, während er sich seinerseits bemühte, seine schlechte Laune nicht mehr an mir auszulassen.

Eines Morgens kamen wir an eine riesige Brücke, die viel zu groß für das kleine Rinnsal war, das unter ihr durchfloß. Es war Sonntag und noch früh am Tag, und die Tavernen und Bars des nahen Städtchens waren noch geschlossen. Wir setzten uns nieder, um zu frühstücken.

»Mensch und Natur haben gleichermaßen ihre Launen«, sagte ich, um ein Gespräch in Gang zu bringen. »Da bauen wir schöne Brücken über Flüsse, die dann plötzlich ihren Lauf ändern.«

»Das ist die Dürre«, sagte er. »Iß schnell dein Brot auf, wir müssen weiter.«

Ich wollte wissen, warum er es so eilig hatte.

»Ich bin schon ziemlich lange auf dem Jakobsweg«, sagte er. »Und in Italien wartet eine Menge Arbeit auf mich.«

Seine Antwort befriedigte mich nicht, auch wenn sie möglicherweise stimmte. Das konnte nicht der einzige Grund sein. Als ich noch einmal nachhakte, wechselte er das Thema.

»Was weißt du über diese Brücke?«

»Nichts«, gab ich zurück. »Selbst wenn es hier keine

Dürre gäbe, wäre sie unverhältnismäßig groß. Ich glaube wirklich, daß der Fluß seinen Lauf geändert hat.«

»Darüber weiß ich nichts«, sagte er. »Doch sie ist auf dem Jakobsweg als Paso Honroso, ›der Ehrenhafte Übergang‹, bekannt. Die Felder vor uns waren der Schauplatz blutiger Schlachten zwischen Sueben und Westgoten und später zwischen den Soldaten Alfonsos III. und den Mauren. Vielleicht ist sie so groß, damit all das Blut unter ihr durchfließen konnte, ohne die Stadt zu überschwemmen.«

Sein makabrer Humor verfing bei mir nicht, und als ich nicht lachte, fuhr er verwirrt fort:

»Dennoch waren es nicht die Truppen der Westgoten noch die triumphierenden Schreie Alfonsos III., die der Brücke ihren Namen gegeben haben, sondern eine Geschichte von Liebe und Tod.

In den ersten Jahrhunderten des Jakobsweges, als aus ganz Europa Pilger hierherströmten, kamen nicht nur Patres, Edelleute und sogar Könige, die dem Heiligen ihre Ehrerbietung darbringen wollten, sondern es kamen auch Wegelagerer und Straßenräuber. Die Geschichte kennt unzählige Fälle von Überfällen auf ganze Pilgerzüge und entsetzliche Verbrechen, die an einsamen Wanderern begangen wurden.«

»Alles wiederholt sich«, sagte ich zu mir selber.

»Daher beschlossen einige Ritter, die Pilger zu schützen, und jeder übernahm den Schutz einer bestimmten Wegstrecke. Doch so wie die Flüsse ihren Lauf ändern, so ändern sich auch die Ideale der Menschen. Die fahrenden Ritter verjagten nicht nur die Bösewichter, sondern sie begannen sich untereinander den Ruhm streitig zu machen, der Stärkste und Mutigste auf dem Jakobsweg zu sein. Nicht lange, da begannen sie sich gegenseitig zu bekämpfen, und die Banditen trieben wieder ungestraft ihr Unwesen auf den Straßen.

Dies blieb so, bis sich 1434 ein Edelmann aus der Stadt León in eine Frau verliebte. Er hieß Don Suero de Quiñones, war reich und mächtig und versuchte auf jede erdenkliche Art und Weise, die Hand seiner Angebeteten zu erringen. Doch diese Dame, deren Namen die Geschichte nicht überliefert hat, wollte diese unendliche Leidenschaft nicht einmal zur Kenntnis nehmen und wies seinen Heiratsantrag ab.«

Ich war gespannt zu hören, welche Verbindung es zwischen dieser verschmähten Liebe und dem Streit der fahrenden Ritter gab. Petrus, dem meine Neugier nicht entgangen war, meinte nur, er würde mir das Ende der Geschichte erst erzählen, wenn ich mein Brot aufgegessen hätte und wir wieder unterwegs wären.

»Du verhältst dich wie meine Mutter, als ich klein war«, sagte ich darauf. Doch ich schluckte das letzte Stück Brot herunter, nahm meinen Rucksack, und wir machten uns auf den Weg durch die schlafende Stadt.

Petrus fuhr fort:

»Unser Ritter, der in seinem Stolz gekränkt war, beschloß genau das zu tun, was Männer gemeinhin tun, wenn sie abgewiesen werden: Er begann seinen eigenen Krieg. Er legte vor sich selbst das Versprechen ab, eine so bedeutende Heldentat zu vollbringen, daß die Dame seinen Namen nie wieder vergessen würde. Monatelang suchte er ein hehres Ideal, dem er die abgewiesene Liebe weihen konnte. Bis er eines Nachts von den Verbrechen und Kämpfen auf dem Jakobsweg hörte. Da hatte er eine Idee.

Er versammelte zehn Freunde um sich, nahm seinen Wohnsitz in der Stadt, durch die wir gerade gehen, und ließ unter den Jakobspilgern verbreiten, er sei bereit, innerhalb von dreißig Tagen dreihundert Lanzen zu brechen, um zu beweisen, daß er der stärkste und mutigste aller Ritter des Jakobsweges sei. Er und seine Freunde kampierten dort mit ihren Fahnen, Standarten, Pagen und Dienern und warteten auf die Herausforderer.«

Ich stellte mir vor, was für ein Fest das gewesen sein mochte. Gebratene Wildschweine, Wein, der die ganze Zeit in Strömen floß, Musik, Geschichtenerzähler und Kämpfe. Vor meinem inneren Auge entstand ein lebendiges Bild, während Petrus die Geschichte zu Ende erzählte:

»Die Kämpfe begannen am 10. Juli mit der Ankunft der ersten Ritter. Quiñones und seine Freunde kämpften tagsüber und feierten nachts große Feste. Die Kämpfe fanden immer auf der Brücke statt, damit niemand fliehen konnte. Irgendwann kamen so viele Herausforderer, daß auf der Brücke Feuer angezündet wurden, damit die Kämpfe bis in die frühen Morgenstunden andauern konnten. Alle besiegten Ritter mußten schwören, nie wieder gegeneinander zu kämpfen und ihr Leben künftig dem Schutz der Pilger auf dem Weg nach Compostela zu widmen.

Der Ruhm von Quiñones machte in wenigen Wochen in ganz Europa die Runde. Außer den Rittern des Weges begannen nun auch Generäle, Soldaten und Banditen zu kommen, um ihn herauszufordern. Alle wußten, daß derjenige, dem es gelang, den tapferen Ritter von León zu besiegen, über Nacht berühmt werden und sein Name von Ruhm gekrönt sein würde. Doch während die Tapferen nur den Ruhm suchten, war Quiñones' Antrieb etwas viel Edleres: die Liebe zu einer Frau. Und dieses Ideal bewirkte, daß er aus allen Kämpfen siegreich hervorging.

Am 9. August endeten die Kämpfe, und Don Suero de Quiñones wurde zum tapfersten und kühnsten aller Ritter des Jakobsweges ernannt. Von diesem Tage an wagte es niemand mehr, von eigenen mutigen Heldentaten zu erzählen, und die Edelleute machten sich wieder daran, den gemeinsamen Feind, die Banditen, zu bekämpfen, die die Pilger überfielen. Aus dieser Heldentat ging später der Militärorden des heiligen Jacobus vom Schwert hervor.«

Inzwischen hatten wir die kleine Stadt hinter uns gelassen; zu gern hätte ich noch einmal einen Blick auf den ›Ehrenhaften Übergang‹ geworfen, auf die Brücke, auf der sich diese Geschichte zugetragen hatte. Doch Petrus drängte weiter.

»Und was geschah weiter mit Don Quiñones?«

»Er ist nach Santiago de Compostela gegangen und hat auf dem Reliquienschrein eine goldene Kette niedergelegt, die noch heute die Büste von Santiago Menor ziert.«

»Ich will wissen, ob er am Ende die Dame geheiratet hat.«

»Nun, das weiß ich nicht«, antwortete Petrus. »Damals schrieben nur Männer die Geschichte. Und wen interessierte schon inmitten all dieser Kämpfe das Ende einer Liebesgeschichte?«

Nachdem er mir die Geschichte von Don Suero Quiñones erzählt hatte, verfiel mein Führer wieder in sein übliches Schweigen, und wir wanderten beide stumm und fast ohne Pause. Am dritten Tag drosselte Petrus endlich sein Tempo, mit der Begründung, er sei zu alt und nach dieser Woche auch zu müde, um diesen Schnellauf fortzusetzen. Wieder spürte ich, daß das nur die halbe Wahrheit war. Sein Gesicht wirkte durchaus nicht abgespannt, sondern eher sorgenvoll, als sollte bald schon etwas sehr Wichtiges geschehen.

An jenem Nachmittag waren wir in Foncebadon angekommen, einer großen Stadt, die nur noch aus Ruinen bestand. Die Zeit und die Witterung hatten die Dachbalken der Schieferdächer verrotten lassen. Die Ortschaft lag direkt an einem Abgrund, und vor uns erhob sich eines der bedeutendsten Wahrzeichen des Jakobsweges: das Eisenkreuz. Diesmal hatte ich es eilig, zu diesem merkwürdigen Denkmal zu gelangen, das aus einem riesigen, fast zehn Meter hohen Block bestand, den ein Kreuz aus Eisen krönte. Das Kreuz war zur Zeit der Invasionen Caesars zu Ehren Merkurs dort angebracht worden. In Fortführung einer heidnischen Tradition legten die Pilger der Rota Jacobea dort jeweils einen Stein nieder, den sie von weither mitgebracht hatten. Und auch ich hob einen der vielen Steine der verlassenen Stadt auf.

Ich beschleunigte meinen Schritt und merkte erst nach einiger Zeit, daß Petrus zurückblieb. Er untersuchte die verfallenen Häuser, machte sich an heruntergestürzten Bohlen und Überresten von Büchern zu schaffen, bis er sich endlich mitten auf den Hauptplatz der Stadt setzte, auf dem ein Holzkreuz stand.

»Laß uns etwas ausruhen«, sagte er.

Es war später Nachmittag, und selbst wenn wir noch eine

Stunde rasteten, blieb noch genug Zeit, um vor Anbruch der Nacht beim Eisenkreuz anzukommen.

Ich ging zurück, setzte mich neben ihn und blickte auf die leeren Häuser. So wie die Flüsse ihren Lauf ändern, so änderten auch die Menschen ihren Standort. Die Häuser waren solide gebaut, und es mußte lange gedauert haben, bis sie einstürzten. Es war ein schöner Ort, mit Bergen im Hintergrund und einem weiten Blick über das Tal, und ich fragte mich, was die Menschen wohl dazu bewogen hatte, einen solchen Ort zu verlassen.

»Glaubst du, daß Don Suero de Quiñones verrückt war?« fragte Petrus unvermittelt.

Ich wußte schon nicht mehr, wer dieser Don Suero war, und Petrus mußte mich an den Paso Honroso erinnern.

»Vermutlich nicht«, antwortete ich. Doch ich war mir meiner Antwort nicht ganz sicher.

»Er war aber verrückt, genauso wie Alfonso, der Mönch, den du kennengelernt hast. So wie auch ich, und meine Verrücktheit wird in den Zeichnungen offenbar, die ich mache. Oder wie du, der du dein Schwert suchst. In uns allen brennt die heilige Flamme der Verrücktheit, die von Agape genährt wird.

Man muß deswegen nicht gleich Amerika entdecken oder mit den Vögeln sprechen wollen wie der heilige Franziskus von Assisi. Ein Gemüsehändler an einer Ecke kann diese heilige Flamme der Verrücktheit haben, wenn er das, was er tut, liebt. Agape ist in allem, was Menschen tun, und sie ist ansteckend, weil die Welt nach ihr dürstet.«

Zwar hatte Petrus mir gesagt, wie ich über das *Ritual der blauen Kugel* Agape erzeugen konnte, aber wenn diese voll erblühen sollte, durfte ich keine Angst haben, mein Leben zu verändern. Wenn ich das, was ich tat, gern tat, war alles in Ordnung. Andernfalls sei es nie zu spät, um etwas zu verändern. Indem ich eine Veränderung zuließe, würde ich selbst zu einem fruchtbaren Feld, auf dem die schöpferische Phantasie keimen könne.

»Alles, was ich dich gelehrt habe, macht nur Sinn, wenn du mit dir selber zufrieden bist. Andernfalls wecken die Exerzitien, die ich dich gelehrt habe, in dir unausweichlich den Wunsch nach Veränderung. Und damit all die gelernten Exerzitien sich nicht gegen dich wenden, mußt du zulassen, daß eine Veränderung geschieht.

Dies ist der schwierigste Augenblick im Leben eines Menschen: wenn er den guten Kampf erkennt und sich außerstande fühlt, sein Leben zu verändern und zu kämpfen. Denn dann wendet sich das Wissen gegen den, der es besitzt.«

Ich blickte auf Foncebadon. Vielleicht hatten ja alle Bewohner gemeinsam diese Notwendigkeit einer Veränderung gespürt. Ich fragte Petrus, ob er dieses Szenarium extra ausgewählt habe, um mir dies zu sagen.

»Ich weiß nicht, was hier geschehen ist«, antwortete er. »Häufig sind Menschen gezwungen, eine schicksalhafte Veränderung anzunehmen. Doch das meine ich nicht. Ich meine einen Willensakt, den konkreten Wunsch, gegen alles zu kämpfen, was uns in unserem Alltag unzufrieden sein läßt.

Wir stoßen auf unserem Lebensweg immer wieder auf Probleme, die schwierig zu bewältigen sind. Wie beispielsweise durch das Wasser eines Wasserfalls zu gehen, ohne abzustürzen. In solchen Fällen mußt du die schöpferische Phantasie wirken lassen. Bei dir ging es um eine Herausforderung auf Leben und Tod, und du hattest wenig Zeit, um dich zu entscheiden: Agape hat dir den einzigen Weg gewiesen.

Doch es gibt in diesem Leben Probleme, bei denen wir zwischen zwei Wegen wählen müssen. Alltägliche Probleme wie ein ministerieller Beschluß, das Zerbrechen einer Beziehung, ein gesellschaftliches Treffen. Jede einzelne kleine Entscheidung, die wir in unserem Leben treffen, kann eine Entscheidung zwischen Leben und Tod sein. Wenn du morgens das Haus verläßt, um zur Arbeit zu gehen, kannst du zwischen einem Transportmittel wählen, das dich heil an der Tür deiner Arbeitsstätte absetzt, und einem anderen, das in einen Unfall verwickelt wird und seine Insassen tötet. Dies ist ein krasses Beispiel dafür, welche Konsequenzen eine einfache Entscheidung für den Rest eines Menschenlebens haben kann.«

Während Petrus sprach, dachte ich über mich selbst nach. Es war meine Wahl gewesen, auf der Suche nach meinem Schwert den Jakobsweg zu gehen. Und das Schwert war jetzt das Wichtigste für mich, ich mußte es irgendwie finden. Ich mußte die richtige Entscheidung treffen.

»Wenn man die richtige Entscheidung treffen will, muß man wissen, welches die falsche Entscheidung ist«, sagte er, als ich ihm meine Sorgen mitteilte. »Und den anderen Weg furchtlos, und ohne zu zögern, überprüfen und sich dann entscheiden.«

Und dann lehrte mich Petrus das *Exerzitium der Schatten.*

»Dein Problem ist dein Schwert«, sagte er, nachdem er mir erklärt hatte, wie dieses Exerzitium durchzuführen war. Ich mußte ihm recht geben.

»Am besten machst du das Exerzitium gleich jetzt. Ich gehe solange spazieren. Wenn ich zurückkomme, wirst du die richtige Lösung gefunden haben.«

Ich dachte über Petrus' Eile während der vergangenen Tage und dieses Gespräch in der verlassenen Stadt nach. Es schien so, als wollte er Zeit gewinnen, um auch irgend etwas zu entscheiden. Das munterte mich auf, und ich begann mit dem Exerzitium.

Ich machte zuerst kurz die Übung *Atem der R.A.M.*, um mich mit der Umgebung in Einklang zu bringen. Dann stellte ich auf meiner Uhr fünfzehn Minuten ein und begann die Schatten um mich herum zu betrachten – die Schatten der verfallenen Häuser, Steine, Holzstücke und des alten Kreuzes hinter mir. Während ich die Schatten betrachtete, wurde mir deutlich, wie schwer es war, den Gegenstand zu sehen, der den Schatten warf. Darauf war ich noch nie gekommen. Einige gerade Balken verwandelten sich in winklige Gegenstände, ein unregelmäßig geformter Stein wurde als Schatten rund. Das machte ich während der ersten zehn Minuten. Es fiel mir nicht schwer, mich zu konzentrieren, denn die Übung war faszinierend. Dann begann ich über die falschen Lösungen zur Auffindung meines Schwertes nachzudenken. Unzählige Gedanken gingen mir durch den Kopf – angefangen damit, den Bus nach Santiago zu nehmen, meine Frau anzurufen und sie mit psychologischem Druck dazu zu bringen, mir den Ort zu verraten, wo sie das Schwert versteckt hatte.

Als Petrus wiederkam, lächelte er.

»Nun?« fragte er.

»Ich habe herausbekommen, wie Agatha Christie ihre Kriminalromane schreibt«, scherzte ich. »Sie macht die falsche Hypothese zur richtigen. Sie muß das *Exerzitium der Schatten* gekannt haben.«

Petrus fragte mich, wo denn nun mein Schwert sei.

»Ich werde dir zuerst die Hypothese sagen, die ich aus den Schatten als die herausgearbeitet habe, die am wenigsten in Frage kommt: Das Schwert liegt außerhalb des Jakobsweges.«

»Du bist ein Genie. Du hast herausgefunden, daß wir schon lange auf der Suche nach deinem Schwert gewandert sind. Ich dachte, das hätte man dir bereits in Brasilien gesagt.«

»Und es ist an einem sicheren Platz verwahrt«, fuhr ich fort, »zu dem meine Frau keinen Zutritt hat. Ich habe daraus gefolgert, daß es an einem vollkommen offenen Platz liegt. Doch es hat sich so sehr in seine Umgebung eingefügt, daß man es nicht sieht.«

Diesmal lachte Petrus nicht. Ich fuhr fort:

»Und da es vollkommen unwahrscheinlich ist, daß es sich an einem Ort befindet, der voller Leute ist, befindet es sich an einem fast verlassenen Ort. Zudem wird es sich, damit die wenigen Leute, die mein Schwert sehen, es nicht von einem anderen, typisch spanischen Schwert unterscheiden können, an einem Ort befinden, an dem niemand zwischen Stilen unterscheiden kann.«

»Glaubst du, daß es hier ist?« fragte er.

»Nein, hier ist es nicht. Es wäre vollkommen verkehrt,

DAS EXERZITIUM DER SCHATTEN

Entspanne dich.

Schaue fünf Minuten lang alle Schatten, die Gegenstände oder Personen um dich herum werfen, genau an. Versuche herauszubekommen, welcher Teil eines Gegenstandes oder eines menschlichen Körpers den Schatten wirft.

In den nächsten fünf Minuten konzentrierst du dich außerdem auf das Problem, das du lösen willst, und suche nach allen möglichen falschen Lösungen.

Schließlich schaue noch weitere fünf Minuten auf die Schatten und denke darüber nach, welches die richtigen Möglichkeiten sein könnten. Verwirf sie eine nach der anderen, bis nur noch die einzig richtige Lösung für dein Problem übrigbleibt.

diese Übung an dem Ort zu machen, an dem sich das Schwert befindet. Diese Möglichkeit habe ich als erste ausgeschlossen. Doch es könnte in einer Stadt sein, die dieser hier sehr ähnlich ist. Sie ist vielleicht nicht verlassen, denn ein Schwert in einer verlassenen Stadt würde allfälligen Pilgern sofort auffallen und in Kürze die Wand irgendeiner Bar schmücken.«

»Sehr gut«, lobte Petrus, und ich spürte, daß er stolz auf mich oder vielmehr die Übung war, die er mich gelehrt hatte.

»Noch etwas«, sagte ich.

»Ja?«

»Der am wenigsten geeignete Ort für das Schwert eines Meisters wäre ein profaner Ort. Demnach muß es an einem geheiligten Ort sein. Vielleicht in einer Kirche, wo es niemand zu stehlen wagt. Zusammengefaßt heißt das: Es befindet sich in der Kirche einer kleinen Stadt in der Nähe von Santiago, für alle sichtbar, aber in die Umgebung eingepaßt. Von nun an werde ich alle Kirchen auf dem Jakobsweg aufsuchen.«

»Das ist nicht notwendig«, sagte er. »Wenn der Augenblick gekommen ist, wirst du sie erkennen.«

Ich hatte es also geschafft.

»Sag mal, Petrus, warum sind wir eigentlich so schnell gewandert und sitzen jetzt hier in dieser verlassenen Stadt fest?«

»Welches wäre die am wenigsten richtige Entscheidung?«

Ich warf einen kurzen Blick auf die Schatten rund um uns herum. Er hatte recht. Wir waren aus einem bestimmten Grund hier.

Die Sonne war hinter dem Gebirge untergegangen, doch der Tag war noch nicht zu Ende. Ich dachte, daß in diesem Augenblick die Sonne auf das Eisenkreuz scheinen mußte, das Kreuz, das ich sehen wollte und das nur wenige hundert Meter von hier auf mich wartete. Ich wollte wissen, warum wir warteten. Eine ganze Woche waren wir fast gerannt, einzig und allein, um an diesem Tag und zu dieser Stunde hier einzutreffen.

Um die Zeit totzuschlagen, versuchte ich ein Gespräch zu beginnen, doch ich merkte bald, daß Petrus angespannt und konzentriert war. Schlecht gelaunt hatte ich ihn wahrlich schon öfter erlebt, doch so angespannt noch nie. Oder doch? Damals bei dem Frühstück, das wir in dem Städtchen eingenommen hatten, wie hieß es doch gleich? Kurz darauf hatten wir ...

Ich blickte zur Seite. Da stand er: der Hund.

Der wilde Hund, der mich einmal zu Boden geworfen hatte, der feige Hund, der beim nächsten Mal hinausgerannt war. Petrus hatte versprochen, mir beim nächsten Treffen zu helfen, und ich wandte mich ihm zu. Doch neben mir stand niemand mehr.

Ich hielt den Blick des Tieres fest, während ich fieberhaft überlegte, wie ich mit dieser Situation fertig werden sollte. Keiner von uns rührte sich, und ich mußte unwillkürlich an die Duelle in einer dieser menschenleeren Städte in den Westernfilmen denken. Niemand war bisher auf die Idee gekommen, ein Duell zwischen einem Mann und einem Hund zu inszenieren. Das war einfach zu unglaubhaft. Doch da stand ich und erlebte real, was in der Fiktion unrealistisch gewesen wäre.

Dort stand die Legion, denn es waren ihrer viele. Neben mir lag ein verlassenes Haus. Wenn ich unvermittelt losrennen würde, könnte ich auf das Dach klettern, und die Legion würde mir nicht folgen. Sie war im Körper und den Fähigkeiten eines Hundes gefangen.

Ich verwarf diesen Gedanken sofort, während ich den Hund weiterhin anstarrte. Mir hatte schon oft vor diesem Moment gegraut, und jetzt war es soweit. Bevor ich mein Schwert fand, mußte ich mich meinem Feind stellen, ihn entweder besiegen oder von ihm besiegt werden. Wenn ich jetzt floh, war alles verloren. Vielleicht würde der Hund nie wieder kommen. Doch ich würde bis Santiago in ständiger Angst leben, und später würde ich nächtelang von diesem Hund träumen, der jeden Moment wieder auftauchen konnte.

Während ich darüber nachdachte, bewegte sich der Hund auf mich zu. Sofort konzentrierte ich mich nur auf den bevorstehenden Kampf. Petrus war geflohen, und ich war allein. Ich hatte Angst, und der Hund tappte knurrend auf mich zu. Dieses Knurren war viel bedrohlicher als ein lautes Bellen, und meine Angst wurde stärker. Sowie der Hund die Schwäche in meinem Blick bemerkte, stürzte er sich auf mich.

Es war, als hätte mich ein Stein mitten auf der Brust getroffen. Ich wurde zu Boden geworfen, und er griff mich an. Ich erinnerte mich dunkel daran, daß ich meinen Tod kannte und daß er nicht so aussah, doch die Angst in mir wuchs, und ich konnte sie nicht beherrschen. Ich kämpfte, um zumindest mein Gesicht und meine Kehle zu schützen.

Ein starker Schmerz durchfuhr mein Bein, er hatte mir eine tiefe Fleischwunde gerissen. Ich nahm die Hände von Kopf und Hals, um die Wunde zu betasten. Der Hund griff sofort wieder an. Da stieß meine Hand an einen Stein. Ich packte ihn und schlug verzweifelt auf den Hund ein.

Er zog sich eher überrascht als verletzt zurück, und ich konnte mich erheben. Der Hund wich noch weiter zurück. Der blutverschmierte Stein gab mir Mut. Ich hatte zu viel Respekt vor der Kraft meines Feindes gehabt, und das war ein Fehler gewesen. Er konnte nicht stärker sein als ich, weniger stark schon, aber niemals stärker. Schließlich war ich schwerer und größer als er. Meine Angst schwand, doch dann verlor ich plötzlich die Beherrschung und begann den Hund mit dem Stein in der Hand aus Leibeskräften anzubrüllen. Das Tier wich noch ein Stück zurück und blieb dann plötzlich stehen.

Es schien meine Gedanken lesen zu können. In meiner Verzweiflung fühlte ich mich stark und gleichzeitig lächerlich, weil ich mit einem Hund kämpfte. Unvermittelt erfüllte mich ein Gefühl von Macht, und ein heißer Wind blies plötzlich durch die verlassene Stadt. Ich war es leid, diesen Kampf weiterzuführen. Im Grunde genommen würde es reichen, wenn ich ihn mit dem Stein mitten auf den Kopf traf, und dann hätte ich gesiegt. Ich wollte am liebsten gleich aufhören und die Wunde an meinem Bein ansehen und dieser ganzen absurden Geschichte mit Schwertern und seltsamen Jakobswegen ein Ende bereiten.

Das war mein zweiter Fehler. Der Hund machte einen Satz und warf mich erneut um. Diesmal gelang es ihm, dem Stein geschickt auszuweichen, indem er mich in die Hand biß, worauf ich den Stein losließ. Ich begann ihn mit den Fäusten zu traktieren, doch damit fügte ich ihm keinen nennenswerten Schaden zu, sondern erreichte nur, daß er sich nicht noch mehr in mich verbiß. Seine spitzen Krallen zerrissen meine Kleider und zerkratzten meine Arme, und es war nur noch eine Frage der Zeit, bis er mich ganz beherrschte.

Da hörte ich eine Stimme in mir. Eine Stimme, die mir sagte, daß der Kampf ein Ende habe und ich gerettet sei, wenn er mich beherrschte. Besiegt, aber lebendig. Mein Bein schmerzte, und mein ganzer Körper brannte wegen der Kratzer. Die Stimme sagte mir beharrlich, ich solle den Kampf aufgeben. Ich erkannte die Stimme: es war die Stimme Astraíns, meines Boten, der mit mir sprach. Der Hund hielt einen Augenblick inne, als könnte auch er die Stimme hören. Astraín sagte mir, daß viele Menschen das Schwert in ihrem Leben nie gefunden hätten, und was mache das schon aus? Ich wollte tatsächlich wieder nach Hause, wollte bei meiner Frau sein, Kinder haben und die Arbeit tun, die ich mochte. Mir reichten diese absurden Geschichten, in denen es darum ging, sich Hunden zu stellen und Wasserfälle hinaufzuklettern.

Ein Geräusch in der verlassenen Stadt hatte die Aufmerksamkeit des Tieres von mir abgelenkt. Ich blickte zur Seite und sah einen Hirten, der seine Schafe vom Feld nach Hause führte. Mir fiel ein, daß ich diese Szene schon einmal, in der Ruine einer alten Burg, gesehen hatte. Als der Hund die Schafe sah, ließ er von mir ab und wollte sie angreifen. Das war meine Rettung.

Der Hirte brüllte, und die Schafe rannten in alle vier

Himmelsrichtungen. Ich packte den Hund am Hinterlauf, damit die Tiere fliehen konnten. Vielleicht würde mir der Hirte ja zu Hilfe kommen. Für einen Augenblick kehrte die Hoffnung auf das Schwert und die Macht der R.A.M. wieder zurück.

Der Hund versuchte nun, sich mir zu entwinden. Ich war jetzt nicht mehr der Feind, sondern ein Störenfried. Jetzt wollte er das, was er vor sich sah: die Schafe. Doch ich hielt den Hund am Bein gepackt und wartete auf den Hirten, der nicht kam, und darauf, daß die Schafe flohen, was sie nicht taten.

Diese Sekunde rettete mein Leben. Eine ungeheure Kraft durchströmte mich, doch diesmal war es nicht die Illusion der Macht, die Überdruß und den Wunsch erweckt, den Kampf aufzugeben. Astraín flüsterte erneut, doch diesmal gab er mir einen anderen Rat. Er sagte, daß ich die Welt mit denselben Waffen bekämpfen müsse, mit denen sie mich angriff. Und daß ich einen Hund nur bekämpfen könne, indem ich selbst zu einem Hund würde.

Das war die Verrücktheit, von der Petrus mir erzählt hatte. Und ich begann mich als Hund zu fühlen. Ich bleckte die Zähne und knurrte leise, und Haß floß in den Geräuschen, die ich ausstieß. Ich sah aus dem Augenwinkel das erschreckte Gesicht des Hirten und der Schafe, die ebensoviel Angst vor mir wie vor dem Hund hatten.

Das begriff die Legion und war erschrocken. Da machte ich einen Satz, den ersten in diesem Kampf. Ich griff mit Zähnen und Klauen an, versuchte den Hund in den Nacken zu beißen, tat genau das, was ich von ihm befürchtete. In mir gab es nur einen Wunsch, den Wunsch zu siegen. Alles andere war unwichtig. Ich stürzte mich auf das Tier und warf es zu Boden. Es kämpfte, um sich vom Gewicht meines Körpers zu befreien, und seine Krallen schlugen sich in meine Haut, doch auch ich biß und kratzte. Aber ich durfte ihn nicht entkommen lassen – heute mußte ich ihn besiegen.

Das Tier starrte mich erschrocken an. Ich war jetzt ein Hund, und es schien zu einem Menschen geworden zu sein. Meine alte Angst war jetzt in ihm, und zwar so stark, daß es ihm gelang, mir zu entwischen, doch ich trieb den Hund in einem der verlassenen Häuser in die Enge. Hinter einer kleinen Schiefermauer lag der Abgrund, und er konnte nirgendwohin fliehen. Er war ein Mensch und sah dort das Antlitz seines Todes.

Plötzlich wurde mir klar, daß irgend etwas falsch war. Ich war zu stark. Mein Verstand begann sich zu trüben, ich sah das Gesicht eines Zigeuners und um dessen Gesicht undeutliche Bilder. Ich war zur Legion geworden. Das war meine Macht. Sie begannen den Körper dieses armen, erschreckten Hundes zu verlassen, der beinahe in den Abgrund gefallen wäre. Und jetzt waren sie in mir. Ich empfand den übermächtigen Wunsch, das wehrlose Tier in Stücke zu reißen. »Du bist der Fürst, und sie sind die Legion«, wisperte Astraín. Doch ich wollte kein Fürst sein und hörte auch von fern die Stimme meines Meisters, der mir eindringlich zurief, ich habe noch ein Schwert zu suchen. Ich mußte noch eine Minute lang widerstehen. Ich durfte diesen Hund nicht töten.

Ein kurzer Seitenblick auf den Hirten bestätigte meinen Verdacht: Er hatte jetzt mehr Angst vor mir als vor dem Hund.

Mir wurde schwindlig, und die Landschaft begann sich zu drehen. Ich durfte jetzt nicht ohnmächtig werden. Ich mußte eine Lösung finden. Ich kämpfte schon nicht mehr gegen ein Tier, sondern gegen die Kraft, die sich meiner bemächtigt hatte. Ich fühlte, wie meine Beine nachgaben, stützte mich an einer Wand ab, doch sie brach unter meinem Gewicht zusammen. Zwischen Steinen und Holzstücken fiel ich mit dem Gesicht auf die Erde.

Die Erde. Die Legion gehörte der Erde, die Früchte der Erde. Die guten und bösen Früchte der Erde, aber Früchte der Erde. Dort war ihr Zuhause, und von dort aus regierte ich die Welt oder wurde von der Welt regiert. Ich stieß ein lautes Heulen aus, einen Schrei, ähnlich wie damals, als der Hund und ich uns zum ersten Mal begegnet waren. Ich fühlte, wie die Legion durch meinen Körper und in die Erde hineinzog, weil in mir Agape war, und die Legion wollte nicht von der alles verschlingenden Liebe verzehrt werden. Das war mein Wille, der Wille, der mich gegen den Rest meiner Kräfte, gegen die Ohnmacht kämpfen ließ, der Wille der Agape, die fest in meiner Seele verankert war und Widerstand leistete. Ich zitterte am ganzen Körper.

Die Legion fuhr machtvoll in die Erde. Ich begann mich zu übergeben, doch ich fühlte, wie die Agape wuchs und aus allen meinen Poren drang. Ich zitterte weiter am ganzen Leibe, bis ich nach einer geraumen Weile spürte, daß die Legion in ihr Reich zurückgekehrt war.

Geschunden und voller blauer Flecken setzte ich mich auf den Boden, eine absurde Szene vor Augen: ein Hund, der blutete und mit dem Schwanz wedelte, und ein Hirte, der mich entgeistert anstarrte.

»Sie haben wohl etwas Schlechtes gegessen«, sagte der Hirte, der noch immer seinen Augen nicht traute. »Doch nun geht es Ihnen bestimmt gleich besser.«

Ich nickte. Er dankte mir, weil ich »meinen Hund« zurückgehalten hatte, und setzte den Weg mit seinen Schafen fort.

Petrus erschien und sagte nichts. Er riß einen Streifen von seinem Hemd ab und verband mein Bein, das stark blutete. Er bat mich, alle Körperteile zu bewegen, und meinte dann, mir sei nichts Ernstes passiert.

»Du siehst ziemlich ramponiert aus«, sagte er lächelnd. Seine seltene gute Laune war zurückgekehrt. »So können wir heute das Eisenkreuz nicht besuchen. Die Touristen dort würden sich furchtbar erschrecken.«

Mir war das gleichgültig. Ich stand auf, schüttelte den Staub ab und prüfte, ob ich gehen konnte. Petrus schlug mir vor, die *R.A.M.-Atemübung* zu machen. Ich machte sie und gelangte wieder in Einklang mit der Welt.

In einer halben Stunde würde ich das Eisenkreuz erreichen. Und eines Tages würde Foncebadon aus seinen Ruinen auferstehen. Die Legion hatte dort viel Macht hinterlassen.

Befehlen und Dienen

Petrus mußte mich bis zum Eisenkreuz fast tragen, weil ich mich wegen der Wunde am Bein nur mehr humpelnd fortbewegen konnte. Als er sah, wie sehr mir der Hund zugesetzt hatte, beschloß er, daß ich mich erst einmal erholen müsse, bevor ich den Jakobsweg wieder aufnahm. Dort ganz in der Nähe gab es ein Dorf, das Pilgern, die die Nacht überraschte, bevor sie das Gebirge überquerten, Unterkunft gewährte. Petrus gelang es, im Haus eines Schmiedes zwei Zimmer zu bekommen. Dort quartierten wir uns ein.

Mein Zimmer hatte einen kleinen Balkon. Diese Art Veranda war einst eine architektonische Revolution gewesen, die sich vom 7. Jahrhundert von diesem Dorf ausgehend über ganz Spanien verbreitet hatte. Ich konnte eine Bergkette sehen, die ich früher oder später überqueren mußte, um nach Santiago zu gelangen. Ich fiel ins Bett und erwachte erst wieder am nächsten Tag. Ich hatte zwar etwas Fieber, fühlte mich jedoch gut.

Petrus brachte Wasser aus einem Brunnen, den die Dorfbewohner den Brunnen ohne Grund nannten, und wusch meine Wunden. Am Nachmittag erschien er mit einer Alten, die in der Nähe wohnte. Die beiden legten verschiedene Kräuter auf meine Wunden und Kratzer, und ich bekam einen bitteren Tee zu trinken. Ich erinnere mich daran, daß

Petrus mich zwang, jeden Tag meine Wunden zu lecken, bis sie ganz verheilt wären. Dabei schmeckte ich immer den metallisch-süßen Blutgeschmack, und davon wurde mir übel, doch mein Führer behauptete, Spucke sei ein ausgezeichnetes Desinfektionsmittel, das mir helfen würde, eine mögliche Infektion zu bekämpfen.

Am nächsten Tag kehrte das Fieber zurück. Petrus und die Alte flößten mir wieder Tee ein und beschmierten die Wunden mit Kräutern, doch das Fieber sank nicht. Mein Führer machte sich darauf zu einer Militärbasis in der Nähe auf, um Verbandszeug zu holen, da es im ganzen Dorf keine Gaze oder Pflaster gab.

Nach einigen Stunden kam Petrus mit dem Verbandszeug zurück. Er war begleitet von einem jungen Offizier, der unbedingt wissen wollte, wo das Tier sei, das mich gebissen hatte.

»Der Wunde nach zu urteilen, hatte das Tier Tollwut«, verkündete er in ernstem Militärarzttonfall.

»Ach was«, winkte ich ab. »Das war eine Spielerei, die etwas aus dem Ruder gelaufen ist. Ich kenne das Tier schon lange.«

Der Offizier ließ sich nicht überzeugen. Er wollte mir unbedingt eine Tollwutimpfung verpassen, und ich mußte zumindest eine Injektion über mich ergehen lassen, sonst hätte er mich ins Militärhospital gebracht. Dann fragte er mich, wo das Tier sei.

»In Foncebadon«, antwortete ich.

»Foncebadon ist ein zerstörtes Dorf. Da gibt es keine Hunde«, meinte er vorwurfsvoll, als hätte er mich gerade bei einer Lüge ertappt.

Ich stieß einige gespielte Jammerlaute aus, und der Militärarzt wurde von Petrus aus dem Zimmer geführt. Doch er ließ alles zurück, was wir brauchten: sauberes Verbandszeug, Pflaster und eine Heilsalbe.

Petrus und die Alte benutzten diese Salbe allerdings nicht. Sie umwickelten die Wunden mit Gaze, zwischen die Kräuter gelegt waren. Das gefiel mir sehr, denn so mußte ich nicht mehr die Stellen ablecken, an denen mich der Hund gebissen hatte. Nachts knieten beide an meinem Bett und legten ihre Hände auf meinen Körper. Dabei beteten sie laut. Ich fragte Petrus, was es damit auf sich habe, doch er brummte nur etwas von Charismen und dem Pilgerweg nach Rom. Mehr war aus ihm nicht herauszubekommen.

Zwei Tage später war ich wieder gesund. Ich trat ans Fenster und sah ein paar Soldaten die Häuser des Dorfes und die nahegelegenen Hügel durchsuchen. Ich fragte einen von ihnen, was los sei.

»Es gibt einen tollwütigen Hund in der Gegend«, war seine Antwort. Am selben Nachmittag kam der Schmied, der Besitzer der Zimmer, und bat uns, die Stadt zu verlassen, sobald ich wieder gehen könne. Die Geschichte hatte unter den Dorfbewohnern die Runde gemacht, und sie befürchteten, ich könnte die Tollwut bekommen und die anderen anstecken. Petrus und die Alte versuchten den Schmied zur Räson zu bringen, doch er blieb hart. Er ging sogar so weit zu behaupten, er habe gesehen, daß mir im Schlaf etwas Schaum aus dem Mundwinkel geronnen sei.

Nichts konnte ihn davon überzeugen, daß dies jedem von uns im Schlaf passieren könne. In dieser Nacht beteten die Alte und mein Führer lange und legten wieder die Hände auf meinen Körper. Und am nächsten Tag befand ich mich, zwar noch etwas humpelnd, wieder auf dem Jakobsweg.

Ich fragte Petrus, ob er sich wegen meiner Genesung Sorgen gemacht habe.

»Es gibt eine Faustregel auf dem Jakobsweg, die lautet: Der einzige Grund, die Wallfahrt abzubrechen, ist, wenn du krank wirst. Wenn die Wunden nicht verheilt wären und du weiterhin Fieber gehabt hättest, wäre das ein Zeichen gewesen, daß wir unsere Reise hier abbrechen müssen. Doch«, meinte er mit einer gewissen Genugtuung, »die Gebete wurden erhört.« Offensichtlich war mein Durchhaltevermögen für ihn genauso wichtig wie für mich.

Der Weg führte nun bergab, und Petrus kündigte mir an, daß dies noch zwei Tage so weiterginge. Wir hatten unseren gewohnten Wanderrhythmus wieder aufgenommen. Wenn die Sonne am höchsten stand, machten wir jeden Nachmittag unsere Siesta. Wegen meiner Verbände trug Petrus meinen Rucksack. Er hatte es jetzt nicht mehr so eilig: Die wichtige Begegnung hatte bereits stattgefunden.

Meine Gemütsverfassung besserte sich von Stunde zu Stunde. Ich war ziemlich stolz auf mich: Ich war einen Wasserfall hochgeklettert und hatte den Dämon des Weges besiegt. Jetzt fehlte nur noch das Wichtigste: mein Schwert zu finden. Ich sprach mit Petrus darüber.

»Der Sieg war schön, aber im entscheidenden Moment hast du versagt.« Das war eine kalte Dusche für mich.

»Aber warum?«

»Man muß den genauen Zeitpunkt des Kampfes rechtzeitig erkennen. Ich mußte schneller gehen, einen Gewaltmarsch machen, und du hast immer nur an dein Schwert gedacht. Was nützt einem Menschen ein Schwert, wenn er nicht weiß, wo er auf seinen Feind trifft?«

»Das Schwert ist mein Machtinstrument«, antwortete ich.

»Du bist zu sehr von deiner Macht überzeugt«, sagte er. »Der Wasserfall, die *Praktiken der R.A.M.*, die Gespräche mit deinem Boten haben dich vergessen lassen, daß es noch einen weiteren Feind zu besiegen galt. Und daß diese neuerliche Begegnung angesagt war. Bevor die Hand das Schwert führt, muß sie den Feind erkennen und wissen, wie sie ihn angreifen muß. Das Schwert teilt nur den Hieb aus, doch die Hand ist schon vor dem Hieb Sieger oder Verlierer.

Dir ist es gelungen, die Legion ohne dein Schwert zu besiegen. Es gibt ein Geheimnis bei dieser Suche, ein Geheimnis, das du noch nicht aufgedeckt hast. Doch wenn du dieses Geheimnis nicht aufdeckst, findest du nie, was du suchst.«

Ich schwieg beschämt. Immer wenn ich mir sicher war, daß ich meinem Ziel näher kam, stieß mich Petrus beharrlich darauf, daß ich ein einfacher Pilger sei, und immer fehlte mir etwas, um das zu finden, was ich suchte. Das freudige Gefühl, das mich Minuten zuvor erfüllt hatte, war vollkommen verschwunden.

Millionen von Pilgern waren vor mir tausend Jahre lang diesen Pilgerweg gegangen. Für sie war es nur eine Frage der Zeit, in Santiago anzukommen. In meinem Fall barg die ›Tradition‹ immer neue Hindernisse, die es zu überwinden, immer neue Prüfungen, die es zu bestehen galt.

Ich sagte Petrus, daß ich müde sei, und wir setzten uns an einem Hang in den Schatten. Große Holzkreuze säumten den Weg. Petrus stellte die beiden Rucksäcke auf den Boden und redete weiter.

»Ein Feind stellt immer unsere schwache Seite dar. Es kann die Angst vor physischen Schmerzen sein, aber auch die verfrühte Freude über einen vermeintlichen Sieg. Oder aber auch der Wunsch, den Kampf aufzugeben, weil man meint, er lohne sich nicht.

Unser Feind nimmt den Kampf erst dann auf, wenn er weiß, wo er uns treffen kann. Genau an dem Punkt, an dem wir uns für unbezwingbar halten, weil unser Stolz uns dies weisgemacht hat. Während des Kampfes versuchen wir stets unsere schwache Seite zu verteidigen, und der Feind schlägt dann an der unbekannten Seite zu, an der nämlich, auf die wir am meisten vertrauen. Und wir werden am Ende besiegt, weil geschieht, was niemals geschehen sollte: Wir lassen zu, daß der Feind die Art des Kampfes festlegt.«

Alles, was Petrus sagte, war während meines Kampfes mit dem Hund tatsächlich geschehen. Gleichzeitig aber lehnte ich den Gedanken ab, Feinde zu haben und gezwungen zu sein, gegen sie zu kämpfen. Als Petrus vom guten Kampf sprach, dachte ich immer, er meine den Kampf ums nackte Leben.

»Das meine ich natürlich auch, aber nicht nur. Kämpfen ist keine Sünde«, sagte er, nachdem ich ihm meine Zweifel vorgetragen hatte. »Kämpfen ist ein Akt der Liebe. Der Feind macht, daß wir uns entwickeln und verbessern, so wie es der Hund mit dir getan hat.«

»Dennoch wirkst du nie zufrieden mit mir. Immer fehlt etwas. Jetzt kommst du mir mit dem Geheimnis meines Schwertes.«

Petrus gab zurück, darüber hätte ich mir schon vor Beginn meiner Pilgerfahrt klar sein müssen. Und sprach weiter über den Feind.

»Der Feind ist ein Teil der Agape, und es gibt ihn, damit er unsere Hand, unseren Willen, unsere Kunst, das Schwert zu führen, auf die Probe stellt. Er wurde absichtlich in unser Leben – und wir in seines – gestellt. Und diese Aufgabe gilt es zu erfüllen. Daher ist die Flucht vor dem Kampf das Schlimmste, was uns passieren kann, schlimmer noch, als den Kampf zu verlieren, denn aus einer Niederlage können wir immer etwas lernen, doch mit der Flucht überlassen wir dem Feind den Sieg.«

Ich sagte Petrus, ich sei erstaunt, ihn so über Gewalt reden zu hören, wo er doch eine so enge Beziehung zu Jesus habe.

»Ich bin der Ansicht, daß Jesus Judas brauchte«, konterte er. »Er mußte sich einen Feind erküren, um seinen Kampf auf Erden zu versinnbildlichen und zu verherrlichen.«

Die Holzkreuze am Wege gaben Zeugnis davon, wie diese Glorie errungen worden war, mit Blut und Verrat. Ich erhob mich und sagte, ich sei bereit, den Weg fortzusetzen.

Während wir wanderten, fragte ich, was das Stärkste sei, auf das sich ein Mensch stützen könne, um den Feind zu besiegen.

»Die Gegenwart. Der Mensch stützt sich am besten auf das, was er gerade tut, denn dort ist die Agape, der Wille, mit Begeisterung zu siegen.

Der Feind verkörpert in den seltensten Fällen das Böse. Er ist immer gegenwärtig, denn ein Schwert, das nicht benutzt wird, verrostet in seiner Scheide.«

Mir fiel ein, daß meine Frau damals, als wir unser Ferienhaus bauten, in letzter Minute die Aufteilung eines der Zimmer änderte. Mir fiel die undankbare Aufgabe zu, dem Maurer diese Änderung mitzuteilen. Ich rief den fast Sechzigjährigen zu mir und sagte ihm, was ich wollte. Er schaute es sich an, überlegte und machte dann einen sehr viel besseren Vorschlag, indem er die Wand nutzte, die er gerade hochzog. Meine Frau fand die Idee wunderbar.

Vielleicht wollte Petrus mir mit komplizierten Worten genau das sagen, nämlich daß wir die Kraft dessen, was wir gerade tun, nutzen sollten, um den Feind zu besiegen.

Ich erzählte ihm die Geschichte mit dem Maurer.

»Das Leben lehrt uns immer mehr als der Jakobsweg«, antwortete er. »Nur vertrauen wir den Lehren des Lebens meist nicht.«

Die Kreuze säumten im Abstand von dreißig Metern die Rota Jacobea. Es mußte das Werk eines Pilgers mit geradezu übermenschlichen Kräften sein. Sonst hätte er das feste, schwere Holz nicht aufrichten können.

»Diese Kreuze sind ein altes, überholtes Folterinstrument. Wahrscheinlich hat jemand ein Gelübde abgelegt, was weiß ich.«

Wir blieben vor einem der Kreuze stehen. Es war umgestürzt.

»Vielleicht war das Holz morsch«, meinte ich.

»Das Holz ist nicht anders als das der anderen. Keins ist morsch.«

»Dann wurde es wohl nicht richtig in die Erde eingelassen.«

Petrus blieb stehen und blickte um sich. Er ließ den

Rucksack zu Boden gleiten und setzte sich. Dabei hatten wir erst vor ein paar Minuten Rast gemacht. Instinktiv blickte auch ich mich um und hielt Ausschau nach dem Hund.

»Du hast den Hund besiegt«, sagte er, als könnte er meine Gedanken lesen. »Fang jetzt nicht an, Gespenster zu sehen.«

»Und warum rasten wir schon wieder?«

Petrus machte mir ein Zeichen, still zu sein, und verfiel in längeres Schweigen.

Nach geraumer Weile fragte er unvermittelt:

»Was hörst du?«

»Nichts. Die Stille.«

»Schön wär's, wenn wir so erleuchtet wären, daß wir die Stille hörten! Aber wir Menschen können ja noch nicht einmal unser eigenes Geschwätz hören. Du hast mich gefragt, wie ich das Kommen der Legion vorausgefühlt habe. Ich will es dir sagen: Ich habe es gehört. Das Geräusch begann schon vor vielen Tagen. Damals waren wir noch in Astorga. Von dort an bin ich schneller gegangen, denn alles wies darauf hin, daß unsere Wege sich in Foncebadon kreuzen würden. Du hast dasselbe Geräusch gehört, aber du hast es nicht beachtet.

Alles steht in dem Geräusch geschrieben: Vergangenheit, Gegenwart und Zukunft des Menschen. Ein Mensch, der nicht hören kann, verschließt sich den Ratschlägen, die uns das Leben fortwährend anbietet. Nur wer das Geräusch der Gegenwart wahrnimmt, kann die richtige Entscheidung treffen.«

Petrus bat mich, den Hund zu vergessen und mich zu ihm

zu setzen, er würde mich jetzt eine der einfachsten und wichtigsten Praktiken des Jakobsweges lehren.

Und er erklärte mir das *Exerzitium des Hörens.*

»Am besten, du probierst es gleich aus.«

Ich hörte den Wind, eine Frauenstimme in der Ferne, und irgendwann hörte ich das Knacken eines Zweiges. Das war wirklich keine schwierige Übung, und ihre Einfachheit faszinierte mich. Ich preßte das Ohr auf den Boden und begann, den dumpfen Ton der Erde zu vernehmen. Ganz allmählich lernte ich die Geräusche voneinander zu unterscheiden: das Geräusch der reglosen Blätter, eine Stimme in der Ferne, das Geräusch schlagender Vogelflügel. Ein Tier grunzte, doch ich konnte nicht heraushören, was für ein Tier das war.

Die fünfzehn Minuten dieses Exerzitiums vergingen wie im Fluge.

»Mit der Zeit wirst du sehen, daß dieses Exerzitium dir helfen wird, die richtige Entscheidung zu treffen«, sagte Petrus, ohne mich zu fragen, was ich denn gehört hatte. »Agape spricht aus der blauen Kugel, doch sie spricht auch aus allen deinen Sinnen und deinem Herzen. In spätestens einer Woche wirst du anfangen, Stimmen zu hören. Zuerst werden es schüchterne Stimmen sein, doch allmählich werden sie beginnen, dir wichtige Dinge zu sagen. Gib acht auf deinen Boten, er wird versuchen, dich durcheinanderzubringen. Doch du kennst seine Stimme, er wird keine Bedrohung sein.«

Petrus fragte mich, ob ich das fröhliche Rufen eines Feindes, die Einladung einer Frau oder das Geheimnis meines Schwertes gehört habe.

DAS EXERZITIUM DES HÖRENS

Entspanne dich und schließe die Augen.

Versuche, dich einige Minuten lang auf alle Geräusche zu konzentrieren, die dich umgeben, als würdest du den Instrumenten eines Orchesters lauschen.

Unterscheide ganz allmählich jedes einzelne Geräusch. Konzentriere dich auf eines, als würdest du versuchen, aus einem Orchester ein einzelnes Instrument herauszuhören.

Wenn du diese Übung täglich machst, wirst du Stimmen hören. Anfangs wirst du glauben, sie seien Ausgeburten deiner Phantasie. Doch später wirst du herausfinden, daß es Stimmen von Menschen aus der Gegenwart, der Vergangenheit und der Zukunft sind, die am Gedächtnis der Zeit teilhaben.

Diese Übung sollte nur gemacht werden, wenn du die Stimme deines Boten kennst.

Mindestdauer: zehn Minuten.

»Ich habe nur eine Frauenstimme in der Ferne gehört«, sagte ich. »Doch es war eine Bauersfrau, die ihren Sohn rief.«

»Dann sieh auf dieses Kreuz hier vor dir und richte es in Gedanken auf.«

Ich fragte ihn, was nun das wieder für eine Übung sei.

»Vertrauen in deine Gedanken haben«, antwortete er.

Ich setzte mich im Lotussitz auf den Boden. Nach allem, was ich bislang geschafft hatte – den Hund besiegen, den Wasserfall hinaufklettern –, würde ich dies bestimmt auch schaffen, dachte ich zuversichtlich. Ich blickte unverwandt auf das Kreuz. Stellte mir vor, daß ich aus meinem Körper heraustrat, es mit meinen Armen packte und mit meinem Astralleib aufrichtete. Schließlich hatte ich auf dem Weg der ›Tradition‹ schon einige dieser kleinen ›Wunder‹ vollbracht. Ich konnte Gläser, Porzellanstatuen zerspringen lassen, Gegenstände auf dem Tisch bewegen. Das war ein einfacher magischer Trick, der zwar keine wirkliche Macht bedeutete, aber ›Ungläubige‹ immer überzeugt. Allerdings hatte ich es bisher noch nie mit einem so großen und schweren Gegenstand wie diesem Kreuz versucht. Doch wenn Petrus es befahl, würde ich es schon schaffen.

Eine halbe Stunde lang versuchte ich es auf alle möglichen Arten. Ich wandte die Astralreise und die Suggestion an. Ich wiederholte die Formeln, die mein Meister zur Aufhebung der Schwerkraft gesprochen hatte. Nichts geschah. Ich war vollkommen konzentriert. Das Kreuz rührte sich nicht. Ich rief Astraín, der auch erschien, aber das Kreuz rührte sich nicht. Doch als ich ihm vom Kreuz erzählte, sagte er, daß er diesen Gegenstand nicht ausstehen könne.

Petrus schüttelte mich schließlich und holte mich aus der Trance zurück.

»Nun reicht's aber«, sagte er. »Wenn du es mit Gedanken nicht schaffst, dann richte dieses Kreuz eben mit deinen Händen auf.«

»Mit den Händen?«

»Gehorche!«

Völlig verdattert stand ich vor dem Mann, der vor kurzem noch gütig meine Wunden gepflegt hatte und der mich nun so streng anherrschte.

»Gehorche!« wiederholte er. »Das ist ein Befehl!«

Meine Arme und Hände steckten noch in Verbänden. Obwohl ich das *Exerzitium des Hörens* gemacht hatte, weigerten sich meine Ohren zu glauben, was ich da vernahm. Wortlos zeigte ich ihm die Verbände. Doch er blickte mich weiterhin kalt und ausdruckslos an. Er erwartete wahrhaftig, daß ich ihm gehorchte. Das war nicht mehr der Führer und Freund, der mich die ganze Zeit begleitet hatte, der mich die *Praktiken der R.A.M.* gelehrt und mir die schönen Legenden vom Jakobsweg erzählt hatte. An seiner Stelle sah ich nur einen Mann, der mich wie seinen Sklaven behandelte und Unsinniges von mir verlangte.

»Worauf wartest du noch?« herrschte er mich an.

Ich dachte an den Wasserfall, erinnerte mich daran, wie ich an jenem Tage an Petrus gezweifelt hatte und er großzügig zu mir gewesen war. Er hatte mir seine Liebe gezeigt und damit verhindert, daß ich das Schwert aufgab. Ich konnte einfach nicht verstehen, wieso jemand so Großzügiger plötzlich so grob sein konnte.

»Petrus, ich...«

»Entweder du gehorchst, oder der Jakobsweg ist hier zu Ende.«

Die Angst kehrte zurück. In diesem Augenblick hatte ich mehr Angst vor Petrus als vor dem Wasserfall oder dem Hund. Ich bat verzweifelt die Natur um irgendein Zeichen, das mir zeigen oder sagen würde, was diesen sinnlosen Befehl rechtfertigte. Stille. Entweder gehorchte ich Petrus, oder ich mußte mein Schwert vergessen. Ich hob noch einmal meine verbundenen Arme, doch er setzte sich auf den Boden und wartete darauf, daß ich seinen Befehl ausführte.

Da beschloß ich zu gehorchen.

Ich ging zum Kreuz und versuchte, es mit dem Fuß zu bewegen, um sein Gewicht abzuschätzen. Es rührte sich kaum. Selbst mit gesunden Händen hätte ich es kaum anzuheben vermocht, doch mit meinen Verbänden konnte ich es vergessen. Doch ich würde gehorchen. Ich würde Blut schwitzen wie Christus damals, als er das gleiche Gewicht schleppte, und vielleicht würde das ja Petrus' Herz rühren, und er würde mich von dieser Prüfung befreien.

Das Kreuz war an seinem Fuß abgebrochen, doch einige Fasern hielten es noch. Ich besaß kein Taschenmesser, um diese Fasern zu trennen. Ich überwand meinen Schmerz und versuchte das Kreuz vom abgebrochenen Fuß zu reißen, ohne die Hände zu benutzen. Die Wunden an den Armen kamen mit dem Holz in Berührung, und ich schrie vor Schmerz auf. Ich blickte Petrus an, doch er saß gleichmütig da. Ich beschloß, nicht weiterzuschreien. Meine Schreie würden von nun an in meinem Herzen ersterben.

Mir wurde klar, daß mein Problem zunächst nicht darin

bestand, das Kreuz zu bewegen, sondern es von seinem Fuß zu trennen und dann ein Loch in den Boden zu graben und es in das Loch zu schieben. Ich suchte mir einen scharfen Stein und begann, meinen Schmerz beherrschend, auf die Holzfasern einzuschlagen.

Der Schmerz nahm mit jedem Augenblick zu, und die Fasern gaben nur langsam nach. Ich mußte aufpassen, daß die Wunden nicht wieder aufbrachen. Ich beschloß, die Arbeit etwas langsamer angehen zu lassen, zog das T-Shirt aus und wickelte es mir um die Hand. Der Stoff zerriß Faser um Faser. Der Stein wurde stumpf, und ich mußte mir einen anderen suchen. Der Schmerz in der Hand wurde immer heftiger, und ich arbeitete nun wie besessen. Ich wußte, daß irgendwann der Augenblick kommen würde, an dem der Schmerz unerträglich sein würde. Ich sägte, hämmerte, fühlte, wie zwischen Haut und Verband eine klebrige Masse die Bewegung zu hemmen begann. Ich biß die Zähne zusammen, und da plötzlich schien die dickste Faser auch nachzugeben. Ich war so erregt, daß ich sofort aufstand und diesem Stamm, der mir so viel Leid verursachte, mit aller Kraft einen Fußtritt versetzte.

Das Kreuz fiel, von seiner Basis befreit, mit einem Ächzen zur Seite.

Meine Freude hielt nicht lange vor. Meine Hand begann heftig zu pochen, dabei hatte ich die Aufgabe erst begonnen. Ich sah zu Petrus hinüber. Er war eingeschlafen. Eine Weile überlegte ich mir, wie ich ihn täuschen und das Kreuz aufrichten könnte, ohne daß er es bemerkte.

Doch genau das wollte Petrus ja: daß ich das Kreuz aufrichtete. Und es gab nichts, womit ich ihn täuschen konnte, denn die Durchführung der Aufgabe hing allein von mir ab.

Ich blickte auf den gelben, trockenen Boden. Auch jetzt würden die Steine meine einzige Rettung sein. Ich konnte nicht mehr mit der rechten Hand arbeiten, weil sie zu sehr schmerzte und diese klebrige Masse darin war, die mir Sorgen machte. Ich wickelte langsam das Hemd vom Verband ab: Blut war rot durch die Gaze gesickert. Dabei war die Wunde fast verheilt gewesen. Petrus war unmenschlich.

Ich suchte mir eine andere Art von Steinen, schwerere und widerstandsfähigere Steine. Nachdem ich das Hemd um die linke Hand gewickelt hatte, begann ich eine Grube in die Erde vor der Basis des Kreuzes zu graben. Anfangs ging es schnell voran, doch dann wurde der Boden hart und trocken. Ich grub und grub, doch das Loch schien immer gleich tief zu bleiben. Ich beschloß, es nicht zu weit zu machen, damit das Kreuz genau hineinpaßte und an der Basis nicht locker saß. Doch das machte es mir schwer, die Erde unten herauszuholen. Meine rechte Hand tat nun nicht mehr weh, doch das geronnene Blut verursachte mir Übelkeit und beunruhigte mich. Ich war ungeübt im Benutzen der linken Hand, und mir fiel der Stein ständig aus der Hand.

Ich grub unendlich lange. Jedesmal, wenn der Stein auf den Boden schlug, jedesmal, wenn meine Hand in das Loch faßte, um Erde herauszuholen, dachte ich an Petrus. Ich sah ihn ruhig schlafen und haßte ihn von ganzem Herzen. Weder der Lärm noch der Haß schien ihn zu stören. »Petrus wird schon seinen Grund haben«, dachte ich, doch ich konnte diese Knechtschaft, die Art, wie er mich ernied-

rigt hatte, nicht begreifen. Da verwandelte sich der Erdboden in sein Gesicht, und ich schlug mit dem Stein darauf, und die Wut verlieh mir neue Kraft. Jetzt war es nur
noch eine Frage der Zeit: Früher oder später würde ich es
schaffen.

Als ich daran dachte, schlug der Stein auf etwas Hartes
und fiel mir aus der Hand. Genau das hatte ich befürchtet.
Nach so langer Arbeit war ich auf einen anderen Stein ge-
stoßen, der zu groß war, als daß ich hätte weitermachen
können.

Ich erhob mich, wischte mir den Schweiß vom Gesicht
und begann zu überlegen. Ich besaß nicht genug Kraft, um
das Kreuz an einen anderen Platz zu schleppen. Ich konnte
nicht noch einmal von vorn anfangen, denn meine linke
Hand war inzwischen fast taub. Das war schlimmer als der
Schmerz und bereitete mir Sorgen. Meine Finger gehorch-
ten mir zwar noch, aber lange konnte ich nicht mehr weitermachen.

Ich schaute in das Loch. Es war nicht tief genug, um das
Kreuz mit seinem ganzen Gewicht zu halten.

»Die falsche Lösung wird dir die richtige zeigen.« Mir
fielen das *Exerzitium der Schatten* und Petrus' Satz wieder
ein, demzufolge die *Praktiken der R.A.M.* nur dann einen
Sinn hatten, wenn sie im Alltag zur Anwendung kamen.
Demnach mußten sie auch in einer so absurden Situation
wie dieser zu etwas nütze sein.

»Die falsche Lösung wird dir die richtige zeigen.« Der
unmögliche Weg war, das Kreuz an einen anderen Platz zu
schleppen, weil mir dazu die Kraft fehlte. Der unmögliche
Weg war, noch tiefer zu graben.

Wenn der falsche Weg also war, weiterzugraben, war der richtige Weg, den Boden zu erhöhen. Aber wie?

Und plötzlich kam meine ganze Liebe zu Petrus wieder zurück. Er hatte recht. Ich konnte den Boden erhöhen.

Ich begann, alle Steine im Umkreis zusammenzutragen und um das Loch herum zu legen und mit der herausgegrabenen Erde zu vermischen. Unter großer Mühe hob ich das Kreuz an und legte Steine darunter, damit es höher lag. In einer halben Stunde war der Boden höher und das Loch ausreichend tief.

Nun mußte ich nur noch das Kreuz in das Loch hineinbekommen. Eine Hand war gefühllos, die andere schmerzte höllisch. Meine Arme waren verbunden. Doch mein Rükken war unverletzt, hatte nur einige Kratzer. Wenn ich mich unter das Kreuz legte und es ganz allmählich anhob, konnte ich es in das Loch gleiten lassen.

Ich legte mich auf den Boden, spürte den Staub in Mund und Augen. Mit der gefühllosen Hand hob ich das Kreuz etwas an und legte mich darunter. Vorsichtig rückte ich mich so hin, daß der Stamm auf meiner Wirbelsäule auflag. Ich erinnerte mich an das *Exerzitium vom Samenkorn* und begann, mich so langsam, wie es irgend ging, in fötaler Haltung unter das Kreuz zu hocken, das ich mit meinen Schultern ausbalancierte. Mühsam richtete ich mich halb auf. Einen Moment lang kippelte die Basis des Kreuzes auf dem Steinhaufen, doch es blieb, wo es war.

»Wie gut, daß ich nicht das Universum retten muß«, dachte ich, während mich das Kreuz und alles, was es verkörperte, fast erdrückte. Und ein Gefühl tiefster Religiosität durchströmte mich.

Dann erhob ich mich langsam auf die Knie. Ich konnte nicht hinter mich blicken, die Geräusche waren meine einzige Orientierung. Doch ich hatte ja kurz zuvor gelernt, die Welt zu hören, als hätte Petrus vorausgesehen, daß ich dieses Wissen jetzt brauchen würde. Ich hörte, wie Gewicht und Steine sich aneinander anpaßten, und das Kreuz richtete sich langsam auf, um mich von dieser Prüfung zu erlösen und wieder seinen Platz am Jakobsweg einzunehmen.

Jetzt fehlte nur noch die allerletzte Anstrengung. Wenn ich auf meine Fersen hockte, mußte das Kreuz von meinem Rücken herunter in das Loch gleiten. Ein oder zwei Steine sprangen weg, doch das Kreuz blieb stabil. Dann kam der entscheidende Augenblick wie damals im Wasserfall, als ich durch das Wasser hindurchmußte. Der schwierigste Augenblick, in dem alles auf dem Spiel steht und man aus Angst vor dem Scheitern lieber vorher aufgibt. Mir wurde noch einmal das Absurde an meiner Aufgabe bewußt: ein Kreuz aufrichten, wo ich doch nur mein Schwert wiederfinden und alle Kreuze umstoßen wollte, damit Christus, der Erlöser der Welt, wiedergeboren würde. All dies war unwichtig. Mit einem jähen Ruck hob ich die Schultern, und das Kreuz glitt herab.

Ich sprang zur Seite und hörte den dumpfen Aufprall auf dem Grund des Loches.

Langsam drehte ich mich um. Das Kreuz stand, wohl noch etwas schwankend, ein paar Steine kollerten herunter, aber es blieb stabil. Geschwind legte ich die Steine zurück, trat sie fest und umarmte das Kreuz, damit es aufhörte zu schwanken. In diesem Augenblick fühlte ich, daß es lebendig und warm war, und war mir sicher, daß es während der ganzen Aufgabe mein Verbündeter gewesen war.

Ich stand da und betrachtete mein Werk, bis die Wunden wieder zu schmerzen begannen. Petrus schlief noch. Ich ging zu ihm und stieß ihn mit dem Fuß an.

Er wachte sofort auf und blickte auf das Kreuz.

»Sehr gut« war alles, was er sagte. »In Ponferrada wechseln wir die Verbände.«

Die Tradition

Lieber hätte ich einen Baum aufgerichtet. Mit diesem Kreuz auf dem Rücken hatte ich das Gefühl, als sei die Suche nach Erkenntnis notwendig mit Selbstopferung verbunden.«

In dem luxuriösen Hotel, in dem wir uns einquartiert hatten, wirkten meine Worte irgendwie fehl am Platz. Das Erlebnis mit dem Kreuz schien viel weiter zurückzuliegen als erst vierundzwanzig Stunden, und es paßte so gar nicht zu dem Bad aus schwarzem Marmor, dem warmen Wasser im Whirlpool und dem Glas vorzüglichen Rioja-Weins, das ich langsam leerte.

»Warum das Kreuz?« fragte ich in den Raum hinein, der so weitläufig war, daß ich Petrus nicht sehen konnte.

»Es war schwierig, den Empfangschef davon zu überzeugen, daß du kein Bettler bist«, rief er aus dem Schlafzimmer herüber.

Ich wußte aus Erfahrung, daß es keinen Zweck hatte, weiter in ihn zu dringen, wenn er eine Frage nicht beantworten wollte. Ich stand auf, zog meine lange Hose und ein sauberes Hemd an und erneuerte die Verbände. Vorsichtig wickelte ich sie ab: Die Wunden begannen bereits zu vernarben, und ich fühlte mich gestärkt und frohgemut.

Wir aßen im Hotelrestaurant zu Abend. Petrus bestellte

die Spezialität des Hauses, eine *Paella Valenciana,* die wir mit einigen Gläsern köstlichen Riojas schweigend hinunterspülten. Nach dem Essen lud mich Petrus zu einem Spaziergang ein.

Wir verließen das Hotel und gingen Richtung Bahnhof, Petrus wie üblich schweigend. Wir gelangten zu einem dreckigen, nach Öl stinkenden Rangierbahnhof. Petrus hockte sich auf das Trittbrett einer riesigen Lokomotive.

»Setz dich neben mich«, sagte er.

Doch ich wollte meine Hosen nicht schmutzig machen und blieb stehen. Ich fragte ihn, ob wir nicht lieber zum Hauptplatz von Ponferrada gehen könnten.

»Der Jakobsweg ist fast zu Ende«, sagte mein Führer. »Und da unsere Realität diesen nach Öl stinkenden Waggons näher ist als den idyllischen Winkeln, die wir von unserer Wanderung her kennen, möchte ich, daß unsere heutige Unterhaltung hier stattfindet.«

Dann bat er mich, Turnschuhe und Hemd auszuziehen, und lockerte mir die Verbände an den Armen, so daß diese freier beweglich waren. Die an den Händen beließ er, wie sie waren.

»Mach dir keine Sorgen«, sagte er. »Du brauchst deine Hände jetzt nicht. Zumindest müssen sie nichts greifen.«

Er war ernster als sonst, und sein Tonfall ließ mich aufhorchen. Irgend etwas Wichtiges würde gleich geschehen.

Petrus setzte sich wieder auf das Trittbrett der Lokomotive und sah mich lange an. Dann sagte er:

»Über das, was gestern geschehen ist, möchte ich nichts sagen. Du wirst selber herausfinden, was es bedeutet – allerdings erst, wenn du dereinst den Pilgerweg nach Rom gehst, den Weg der Charismen und der Wunder. Ich möchte dich nur vor etwas warnen: Menschen, die sich für weise halten, zögern, wenn sie befehlen sollen, und rebellieren, wenn sie dienen sollen. Sie glauben, es sei eine Schande, Befehle zu geben, und ehrenrührig, Befehle zu empfangen.

Im Hotelzimmer hast du gesagt, daß der Weg der Erkenntnis dazu führt, geopfert zu werden. Das ist falsch. Deine Lehrzeit ist gestern nicht zu Ende gegangen. Die *Praktiken der R.A.M.* bringen den Menschen dazu, den guten Kampf zu kämpfen und größere Chancen im Leben zu haben. Deine gestrige Erfahrung ist nur eine Prüfung des Jakobsweges und als solche sozusagen eine Vorbereitung für den Pilgerweg nach Rom.« Und wehmütig fügte er hinzu: »Es macht mich traurig, daß du so denkst.«

Es stimmte, was er sagte: Die ganze Zeit, die wir jetzt schon zusammen waren, hatte ich fast an allem gezweifelt, was er mich lehrte. Ich war nicht demütig und mächtig wie Castañeda in seiner Beziehung zu Don Juan, sondern hochfahrend und rebellisch angesichts der Einfachheit der *Praktiken der R.A.M.* Doch für diese Erkenntnis war es jetzt zu spät.

»Schließ die Augen«, gebot Petrus. »Mach die *R.A.M.-Atemübung,* und versuche mit diesem Eisen, diesen Maschinen und diesem Ölgestank in Einklang zu kommen. Dies ist unsere Welt. Du darfst die Augen erst wieder öffnen, wenn ich meinen Teil zu Ende gebracht habe und dir ein weiteres Exerzitium beibringe.«

Ich konzentrierte mich auf den Atem und schloß die Augen. Mein Körper begann sich zu entspannen. Zuerst lauschte ich den Geräuschen der Stadt, ein paar bellenden

Hunden in der Ferne und dem Raunen von Stimmen, die nicht weit von uns miteinander stritten. Plötzlich hörte ich Petrus einen italienischen Pepino-di-Carpi-Schlager anstimmen, der in meiner Jugend ein großer Hit gewesen war. Ich verstand zwar die Worte nicht, doch das Lied weckte alte Erinnerungen und half mir, mich zu entspannen.

»Vor nicht allzu langer Zeit«, begann Petrus, »– ich arbeitete gerade an einem Projekt für die Präfektur von Mailand – erhielt ich eine Botschaft von meinem Meister. Jemand sei den Weg der ›Tradition‹ zu Ende gegangen, habe aber nicht sein Schwert empfangen. Ihn sollte ich auf dem Jakobsweg führen.

Ich war nicht weiter überrascht; ich war darauf gefaßt, daß es irgendwann passieren würde, denn ich hatte meine Aufgabe noch nicht erfüllt: einen Pilger auf der ›Milchstraße‹ zu führen, so wie ich einst geführt worden war. Doch ich war auch nervös, weil es das erste und einzige Mal sein würde und weil ich nicht wußte, ob ich meiner Aufgabe gewachsen sein würde.«

Pertrus' Worte überraschten mich sehr. Ich war davon ausgegangen, daß er schon zigmal den Jakobsweg gegangen war.

»Du bist gekommen, und ich habe dich geführt«, fuhr er fort. »Ich muß gestehen, daß es am Anfang sehr schwer war, weil du dich mehr für die intellektuelle Seite der Lehren interessiertest als für den wahren Sinn des Jakobsweges, der der Weg der gewöhnlichen Menschen ist. Nach unserer Begegnung mit Alfonso wurde meine Beziehung zu dir sehr viel enger und stärker, und ich glaubte, ich würde dich dazu bringen, das Geheimnis deines Schwertes selbst herauszufinden. Doch das war nicht der Fall, und jetzt mußt du es in dem bißchen Zeit, das dir noch bleibt, ganz allein ergründen.«

Das Gespräch nahm eine Wendung, die mich beunruhigte und mich bei der *R.A.M.-Atemübung* aus dem Tritt brachte. Petrus mußte das bemerkt haben, denn er stimmte erneut den Schlager an und hörte erst auf, als ich wieder entspannt war.

»Wenn du das Geheimnis enträtselst und dein Schwert findest, wirst du auch das Anlitz der R.A.M. entdecken und der Macht teilhaftig werden. Doch das ist noch nicht alles. Um das allumfassende Wissen zu erlangen, wirst du die anderen beiden der ›drei Wege‹ gehen müssen, auch den geheimen Weg, den dir niemand, der ihn bereits gegangen ist, enthüllen wird. Ich sage dir das alles auch nur, weil wir uns jetzt nur noch einmal begegnen werden.«

Mir stockte das Herz, und ich öffnete unwillkürlich die Augen. Ich konnte mich nicht mehr konzentrieren. Mein Führer summte wieder den Schlager, und es dauerte lange, bis es mir gelang, mich etwas entspannen.

»Morgen wirst du eine Nachricht erhalten, die dir sagen wird, wo ich bin. Es wird ein kollektives Initiationsritual stattfinden, ein Ritual zu Ehren der ›Tradition‹. Zu Ehren der Männer und Frauen, die in all diesen Jahrhunderten geholfen haben, die Flamme der Erkenntnis, des guten Kampfes und der Agape zu nähren. Du wirst nicht mit mir reden können, da es ein heiliger Ort ist, an dem wir uns treffen, getränkt mit dem Blut der Ritter, die den ›Weg der Tradition‹ gegangen sind und denen es trotz ihrer scharfen Schwerter nicht gelungen ist, die Finsternis zu besiegen.

Doch ihr Opfermut war nicht umsonst. Zum Beweis dafür treffen sich morgen, Jahrhunderte später, Menschen dort, die sehr unterschiedliche Wege gehen, um ihren Tribut zu leisten. Eins mußt du dir merken: Selbst wenn du einmal ein Meister wirst, vergiß nie, daß dein Weg nur einer von vielen ist, die zu Gott führen. Jesus hat einmal gesagt, daß im Haus seines Vaters viele Wohnungen sind, und er wußte genau, wovon er sprach.

Eines fernen Tages wirst auch du eine Nachricht von mir erhalten, in der ich dich bitten werde, jemanden auf dem Jakobsweg zu führen, so wie ich es mit dir getan habe. Dann erst wirst du das große Geheimnis der Wanderung durchleben – ein Geheimnis, das ich dir jetzt nur mit Worten enthülle, das aber selbst gelebt werden muß, damit man es versteht.«

Dann folgte Stille. Ich dachte schon, Petrus hätte es sich anders überlegt und sei bereits jetzt gegangen. Am liebsten hätte ich die Augen geöffnet, um mich zu vergewissern, doch ich bezwang mich und konzentrierte mich auf die Atemübung.

»Das Geheimnis ist folgendes«, sagte Petrus' Stimme endlich. »Du kannst nur lernen, indem du lehrst. Gemeinsam sind wir den Jakobsweg gegangen, doch während du die Praktiken lerntest, lernte ich erst deren Bedeutung kennen. Indem ich dich lehrte, lernte ich die Wahrheit. Indem ich die Rolle des Führers annahm, fand ich meinen eigenen Weg.

Wenn es dir gelingt, dein Schwert zu finden, mußt du jemand anderen auf dem Jakobsweg führen. Erst wenn du die Rolle des Meisters akzeptierst, wirst du alle Antworten in deinem Herzen finden. Wir wissen bereits alles, bevor jemand uns davon erzählt. Das Leben lehrt uns mit jedem Augenblick etwas, und das einzige Geheimnis liegt darin, zu akzeptieren, daß wir durch unseren Alltag ebenso weise werden können wie Salomo und ebenso mächtig wie Alexander der Große. Doch zu dieser Erkenntnis gelangen wir erst, wenn wir gezwungen sind, jemanden etwas zu lehren und an so außergewöhnlichen Abenteuern wie diesem hier teilzunehmen.«

Und nun kam der ungewöhnlichste Abschied, den ich je erlebt habe. Jemand, mit dem ich eine so intensive Beziehung gehabt und von dem ich erhofft hatte, daß er mich zu meinem Ziel führen würde, ließ mich auf halbem Weg stehen, noch dazu mitten auf einem stinkenden Rangierbahnhof. Und mir blieb nichts anderes übrig, als es mit geschlossenen Augen hinzunehmen.

»Ich mag keine Abschiedsszenen«, fuhr Petrus fort. »Wir Italiener sind sehr emotional, uns geht so etwas immer an die Nieren. Es ist nun einmal so: Du mußt dein Schwert allein finden, damit du an deine Macht glauben kannst. Alles, was ich dir vermitteln konnte, habe ich dir vermittelt. Es bleibt nur noch das *Exerzitium des Tanzes,* das ich dir jetzt beibringen werde, weil du es morgen während des Rituals brauchst.«

Er schwieg. Viel später durfte ich endlich die Augen öffnen. Petrus saß auf einer der Wagenkupplungen der Lokomotive. Ich mochte nichts sagen, denn der Brasilianer ist auch eher emotional. Die Neonlampe über uns begann zu flackern, und in der Ferne kündigte ein Zug pfeifend seine Ankunft an.

Da lehrte mich Petrus das *Exerzitium des Tanzes.*

»Eines noch«, sagte er und blickte mir dabei tief in die Augen. »Als ich damals meine Pilgerwanderung beendet hatte, malte ich ein schönes, überdimensionales Bild, auf dem ich alles darstellte, was ich bis dahin erlebt hatte. Das ist der Weg der gewöhnlichen Menschen, und du kannst das gleiche tun, wenn du willst. Wenn du nicht malen kannst, schreib etwas, denk dir ein Ballett aus. So können durch deine Vermittlung auch andere Menschen die Rota Jacobea gehen, egal wo sie sich befinden.«

Der Zug, der gepfiffen hatte, fuhr in den Bahnhof ein. Petrus winkte mir und verschwand zwischen den Waggons. Und ich stand da, während unweit von mir der Zug mit kreischenden Bremsen zum Stillstand kam, und versuchte, die geheimnisvolle Milchstraße mit ihren Sternen über mir zu entziffern, die mich bis hierher geführt hatte und die in aller Stille die Einsamkeit und das Schicksal aller Menschen lenkte.

Am nächsten Tag lag eine Nachricht in meinem Schlüsselfach: 7.00 UHR P.M. CASTILLO DE LOS TEMPLARIOS.

Ich verbrachte den Tag damit, kreuz und quer durch das kleine Ponferrada zu streifen, immer die Burg auf dem kleinen Hügel vor Augen, wo ich mich bei Sonnenuntergang einfinden sollte. Die Templer haben meine Phantasie seit jeher angeregt, und die Burg in Ponferrada war nicht die einzige Spur, die der Templerorden auf der Rota Jacobea hinterlassen hatte. Der Orden war von neun Rittern gegründet worden, die beschlossen hatten, nicht mehr an Kreuzzügen teilzunehmen. Sie hatten sich bald über ganz Europa

DAS EXERZITIUM DES TANZES

Entspanne dich und schließe die Augen.
Erinnere dich an die ersten Melodien, die du in
deinem Leben gehört hast. Summe sie innerlich
vor dich hin. Ganz allmählich läßt du einen
Teil deines Körpers – Füße, Bauch, Hände, Kopf
usw. –, doch nur einen Teil, die Melodie tanzen,
die du gerade singst.
Nach fünf Minuten kannst du mit Singen auf-
hören. Lausche auf die Geräusche, die dich um-
geben. Komponiere aus ihnen eine Musik und
tanze sie mit deinem ganzen Körper. Vermeide
es, an irgend etwas zu denken, sondern versuche,
dich an die Bilder zu erinnern, die spontan auf-
tauchen.
Der Tanz ist eins der vollkommensten Kommuni-
kationsmittel mit der Unendlichen Weisheit.
Dauer: fünfzehn Minuten.

verteilt und tiefgreifende gesellschaftliche Veränderungen am Anfang dieses Jahrtausends hervorgerufen. Während der größte Teil des Adels jener Zeit nur darauf bedacht war, seinen Reichtum auf Kosten der im Feudalsystem üblichen Knechtschaftsarbeit zu vermehren, weihten die Tempelritter ihr Leben, ihre Güter und ihre Schwerter einer einzigen Sache: dem Schutz der Pilger nach Jerusalem, wobei sie eine Form des spirituellen Lebens entwickelten, die ihnen auf der Suche nach Weisheit und Erkenntnis helfen sollte.

1118 versammelten sich Hugues de Payns und noch acht weitere Ritter im Innenhof einer alten Burg und taten einen Schwur der Liebe zur Menschheit. Zwei Jahrhunderte später gab es in der damals bekannten Welt bereits fünftausend Komtureien, die zwei Arten der Lebensgestaltung miteinander verbanden, die bislang unvereinbar erschienen: das Mönchtum und das Rittertum. Die Schenkungen und Spenden der Komturen und Tausender dankbarer Pilger führten dazu, daß der Templerorden in kurzer Zeit unermeßlichen Reichtum anhäufen konnte, der mehr als einmal dazu diente, bedeutende Persönlichkeiten der Christenheit zu befreien, die von den Muselmanen als Geiseln genommen worden waren. Die Rechtschaffenheit der Ritter war so unbestritten, daß Könige und Adlige den Templern ihre Güter anvertrauten und nur noch mit Dokumenten reisten, die das Vorhandensein dieser Güter nachwiesen. So ein Dokument konnte in irgendeiner der Burgen des Ordens gegen die entsprechende Summe eingelöst werden und war die Vorstufe unserer heutigen Wechsel.

Die Frömmigkeit der Templer führte dazu, daß sie die Wahrheit dessen begriffen, was Petrus am Vorabend gesagt hatte: Das Haus des Vaters hat viele Wohnungen. Denn sie trachteten danach, die Glaubenskämpfe aufzugeben und die wichtigsten monotheistischen Religionen jener Zeit zu vereinen, das Christentum, den Judaismus und den Islam. Ihre Kapellen erhielten daher die runde Kuppel des jüdischen Tempels Salomos, den achteckigen Grundriß arabischer Moscheen und die für die christlichen Kirchen typischen Kirchenschiffe.

Doch wie alle, die ihrer Zeit voraus sind, wurden die Templer mit Skepsis bedacht. Ihre große wirtschaftliche Macht erweckte den Neid der Könige und ihre religiöse Offenheit den Argwohn der Kirche. Am Freitag, den 13. Oktober 1307, entfesselten der Vatikan und die wichtigsten Staaten Europas eine der größten Polizeiaktionen des Mittelalters. In einer einzigen Nacht wurden die Vorsteher in ihren Burgen festgenommen und ins Gefängnis geworfen. Sie wurden angeklagt, geheime Zeremonien durchzuführen, bei denen sie den Dämon anbeteten und Jesus Christus lästerten.

Weiter warf man ihnen vor, orgiastische Rituale vollführt und mit den Novizen Sodomie betrieben zu haben. Den Rittern wurden durch Folter Geständnisse abgepreßt, nicht wenige schworen dem Orden ab. Und so verschwand der Templerorden von der historischen Landkarte des Mittelalters. Die Schätze wurden konfisziert und die Mitglieder über die ganze Welt verstreut. Der letzte Großmeister des Ordens, Jacques de Molay, wurde in Paris zusammen mit einem Gefährten bei lebendigem Leibe verbrannt. Sein letzter Wunsch war es gewesen, im Anblick der Kathedrale Notre-Dame zu sterben.

Die spanischen Könige, die damals in die Kämpfe der Reconquista verwickelt waren, nahmen die verfolgten Ritter aus ganz Europa auf, um sich ihre Unterstützung im Kampf gegen die Mauren zu sichern. Diese Ritter gingen in spanischen Orden, beispielsweise dem Orden des heiligen Jacobus vom Schwert, auf, der für den Schutz des Jakobsweges zuständig war.

Dies alles ging mir durch den Kopf, als ich um Punkt sieben Uhr abends durch das Haupttor der alten Templerburg von Ponferrada ging, wo mein Zusammentreffen mit der ›Tradition‹ stattfinden sollte.

Niemand außer mir war dort. Ich wartete, eine Zigarette nach der andern rauchend, und fürchtete schon, ich hätte mich geirrt und das Ritual hätte schon um sieben Uhr morgens stattgefunden. Doch als ich schon gehen wollte, kamen zwei junge Frauen herein, auf deren Kleidern die niederländische Fahne und die Kammuschel, das Symbol des Jakobsweges, genäht waren. Sie gesellten sich zu mir, wir wechselten ein paar Worte und stellten fest, daß wir alle drei aus demselben Grund hier waren.

Jede Viertelstunde stieß jemand Neues dazu: ein Australier, fünf Spanier, ein weiterer Niederländer. Außer über die Frage der Uhrzeit, die bei allen Zweifel erweckt hatte, sprachen wir nicht weiter miteinander. Wir setzten uns in einen verfallenen Vorraum, an dessen Stelle wohl einstmals die Vorratskammer gelegen war, und beschlossen zu warten, wenn's sein mußte auch einen weiteren Tag und eine weitere Nacht.

Wir vertrieben uns die Wartezeit damit, daß wir über die

Gründe sprachen, die uns hierhergeführt hatten. So erfuhr ich, daß der Jakobsweg von unterschiedlichen Orden benutzt wurde, die zum größten Teil mit der ›Tradition‹ verbunden waren. Die hier Anwesenden hatten viele Prüfungen und Initiationsrituale durchlaufen, von denen ich die meisten allerdings noch von Brasilien her kannte. Nur der Australier und ich waren Anwärter auf den höchsten Grad des ›ersten Weges‹. Obwohl wir nicht länger darüber sprachen, merkte ich, daß der Weg des Australiers nichts mit den *Praktiken der R.A.M.* gemein hatte.

Gegen Viertel vor neun erscholl in der alten Burgkapelle ein Gong, und wir gingen gemeinsam hinüber.

Der Anblick war beeindruckend. Die Kapelle – oder besser, was davon übrig war, denn auch sie war weitgehend verfallen – war von Fackeln erleuchtet. Dort, wo einst der Altar gestanden hatte, hoben sich sieben Gestalten ab, die mit den jahrhundertealten Gewändern der Templer bekleidet waren: Kappe und Helm aus Stahl, Panzerhemd, Schwert und Schild. Es verschlug mir den Atem: Es war so, als sei ich in eine andere Zeit zurückversetzt. Das einzige, was noch an die Realität gemahnte, war unsere Kleidung, die Jeans und die T-Shirts mit den aufgenähten Kammmuscheln.

Selbst im schwachen Licht der Fackeln konnte ich erkennen, daß einer der Ritter Petrus war.

»Tretet näher zu euren Meistern«, sagte einer von ihnen, der wie der Älteste wirkte. »Seht ihnen nur in die Augen. Entkleidet euch und empfangt die Gewänder.«

Ich trat zu Petrus und blickte ihm tief in die Augen. Er befand sich in einer Art Trance und schien mich nicht zu erkennen. Doch ich bemerkte eine gewisse Traurigkeit in seinem Blick, die gleiche Traurigkeit, die am Vorabend in seiner Stimme mitgeklungen hatte. Ich zog mich ganz aus, und Petrus überreichte mir eine Art schwarze, wohlriechende Tunika, die locker an meinem Körper herabfiel. Einer dieser Meister muß mehr als einen Schüler haben, mutmaßte ich, doch ich konnte es nicht nachprüfen, wer es war, da ich Petrus in die Augen blicken mußte.

Der Hohepriester führte uns in die Mitte der Kapelle, und zwei Ritter begannen, einen Kreis um uns herum zu ziehen, und sprachen, während sie ihn heiligten.

So wurde der Kreis als unentbehrlicher Schutz für jene gezogen, die sich in ihm befanden. Ich bemerkte, daß vier von uns eine weiße Tunika trugen, was bedeutete, daß sie vollkommene Keuschheit gelobt hatten.

»Amides, Theonidias, Anitor!« sagte der Hohepriester. »Kraft der Engel, Herr, lege ich das Gewand der Erlösung an. Möge alles, was ich wünsche, Wirklichkeit werden durch Dich, hochheiliger Adonai, dessen Reich ewig währt. Amen.«

Der Hohepriester legte den weißen Umhang mit dem rotgestickten Templerkreuz über das Kettenhemd, und die anderen Ritter folgten seinem Beispiel.

Punkt neun Uhr, in der Stunde Merkurs, des Boten, stand ich erneut inmitten eines Kreises der ›Tradition‹. Der Duft von Weihrauch, Minze, Basilienkraut und Benzoe erfüllte die Kapelle. Und die Ritter begannen mit der Anrufung des mächtigen Königs N. Ich hatte bereits an unzähligen ähnlichen Zeremonien teilgenommen, doch die Templerburg schien meine Phantasie anzuregen, denn plötzlich vermeinte ich in der linken Ecke der Kapelle einen glitzernden Vogel zu sehen.

Dann besprengte uns der Hohepriester mit Wasser, ohne das Innere des Kreises zu betreten, und schrieb mit geweihter Tinte die 72 Namen auf den Boden, mit denen Gott in der ›Tradition‹ angerufen wird.

Wir alle, Pilger und Ritter, begannen die heiligen Namen zu sprechen. Die Flammen der Fackeln knisterten, ein Zeichen, daß der angerufene Geist sich unterworfen hatte.

Dann kam das Tanzen. Niemand durfte den Schutzkreis übertreten. Ich prägte mir den Umfang des Kreises ein und tat genau, was Petrus mich gelehrt hatte.

Ich dachte an meine Kindheit. Eine Stimme, eine ferne weibliche Stimme in mir, stimmte ein Wiegenlied an. Ich kniete nieder, rollte mich ganz in Samenposition ein und spürte, wie meine Brust, nur meine Brust, zu tanzen begann. Ich fühlte mich wohl und war bereits ganz in das Ritual der ›Tradition‹ eingetaucht. Allmählich veränderte sich die Musik in mir, die Bewegungen wurden heftiger, und ich fiel in eine tiefe Ekstase. Alles um mich herum war dunkel, und mein Körper wurde wie schwerelos. Ich durchstreifte die blühenden Wiesen von Aghata und traf dort meinen Großvater und einen Onkel, der meine Kindheit entscheidend geprägt hatte. Ich spürte, wie die Zeit in ihrem Spinnennetz aus Quadraten vibrierte, in denen alle Straßen zusammenlaufen und ineinander aufgehen und einander ähnlich werden, obwohl sie so unterschiedlich sind. Irgendwann sah ich den Australier blitzschnell vorüberziehen: Sein Körper war von einem roten Glanz überzogen.

Die nächste Vision war ein Kelch und ein Hostienteller, und dieses Bild blieb sehr lange, als wollte es mir etwas sagen.

Ich vermochte es nicht zu deuten, obwohl die Botschaft sicher mit meinem Schwert zu tun hatte. Dann vermeinte ich das Antlitz der R.A.M. zu sehen, das aus der Dunkelheit hervortrat, als Kelch und Hostienteller verschwanden. Doch als es sich näherte, war es nur das Antlitz von N., dem angerufenen Geist und meinem alten Bekannten. Wir nahmen keinen Kontakt zueinander auf, und sein Antlitz löste sich in der wabernden Dunkelheit auf.

Ich weiß nicht, wie lange wir getanzt haben. Plötzlich hörte ich eine Stimme:

»JAHWE, TETRAGRAMMATON...«, doch ich wollte nicht aus der Trance erwachen. Die Stimme aber rief beharrlich:

»JAHWE, TETRAGRAMMATON...«, und ich erkannte die Stimme des Hohenpriesters, die uns aus der Trance zurückholte.

Widerstrebend kehrte ich zur Erde zurück. Befand mich erneut im magischen Kreis in der uralten Templerburg.

Wir Pilger sahen einander an. Der jähe Schnitt schien allen mißfallen zu haben. Ich konnte mich kaum zurückhalten, dem Australier zu sagen, daß ich ihn gesehen hatte. Als ich ihn ansah, merkte ich, daß Worte überflüssig waren: Er hatte mich auch gesehen.

Die Ritter stellten sich im Kreis um uns herum auf und schlugen mit den Schwertern auf die Schilde, was einen ohrenbetäubenden Lärm hervorrief. Dann ersuchte der Hohepriester den Geist, sich friedlich zurückzuziehen: »Möge der Friede Gottes immer zwischen dir und mir herrschen. Amen.«

Der Kreis wurde aufgelöst, und wir knieten alle mit gesenktem Kopf nieder. Ein Ritter betete sieben Vaterunser und sieben Ave-Marias mit uns. Der Hohepriester fügte ein Glaubensbekenntnis hinzu, indem er sagte, Unsere Heilige Mutter von Medjugorje, die seit 1982 in Jugoslawien erscheint, habe es so bestimmt. Wir begannen nun mit einem christlichen Ritual.

»Andrew, erhebe dich und trete vor«, befahl der Hohepriester. Der Australier ging zum ehemaligen Altar, wo die sieben Ritter inzwischen wieder Aufstellung genommen hatten.

Ein weiterer Ritter, der sein Führer sein mußte, sagte:

»Bruder, suchst du die Gemeinschaft des Hauses und die barmherzigen Anordnungen, die in ihm herrschen?«

Der Australier bejahte. Und mir wurde klar, welches christliche Ritual wir gerade erlebten: die Initiation eines Templers.

»Ich bin bereit, alles im Namen Gottes zu ertragen, und ich möchte Diener des Hauses sein für den Rest meiner Tage.«

Es folgten noch viele weitere rituelle Fragen und Ermahnungen. Einige davon machten in der heutigen Welt keinerlei Sinn mehr. Andere betrafen tiefe Frömmigkeit und Liebe. Andrew beantwortete alle mit gesenktem Kopf und blieb standhaft dabei, daß er in die Gemeinschaft des Hauses eintreten wolle. Schließlich wandte sich sein Führer an den Hohenpriester und wiederholte alle Antworten, die ihm der Australier gegeben hatte.

Zum Schluß näherte sich sein Meister feierlich und übergab ihm sein Schwert.

Eine Glocke läutete, und ihr Klang hallte wider von den Wänden der alten Burg. Wir senkten alle den Kopf, und die Ritter entschwanden unseren Blicken. Als wir den Kopf wieder hoben, waren wir nur noch zehn, denn der Australier war mit den Rittern zum rituellen Bankett gegangen.

Wir zogen uns wieder um und verabschiedeten uns ohne viel Umstände voneinander. Der Tanz mußte lange gedauert haben, denn es tagte bereits. Unendliche Einsamkeit erfüllte meine Seele.

Ich war neidisch auf den Australier, der sein Schwert erhalten und sein Ziel erreicht hatte. Ich selber war ganz auf mich gestellt, ohne das Geheimnis meines Schwertes noch seinen Standort zu kennen.

Als ich kurz vor Tagesanbruch aus der Burg trat, läutete die Glocke noch immer. Sie gehörte einer nahen Kirche und rief die Gläubigen zur Frühmesse. Die Stadt erwachte. Vor ihr lag ein Tag voller Arbeit, unglücklicher Liebe, ferner Träume und Rechnungen, die bezahlt werden mußten. Doch weder die Glocke noch die Stadt wußten, daß in jener Nacht ein uraltes Ritual vollzogen worden war und daß das, von dem alle seit Jahrhunderten glaubten, es sei tot, sich immer wieder erneuerte und seine unendliche Macht zeigte.

Cebreiro

Sind Sie Pilger?« fragte ein kleines Mädchen, das die einzige lebende Seele an diesem glühendheißen Nachmittag in Villafranca del Bierzo zu sein schien.

Die Kleine mochte etwa acht Jahre alt sein, sie war in ihren ärmlichen Kleidern zu mir an den Brunnen gekommen, an dem ich mich etwas ausruhte.

Meine einzige Sorge war, so schnell wie möglich nach Santiago de Compostela zu gelangen und dieses verrückte Abenteuer zu beenden. Mich verfolgten Petrus' traurige Stimme auf dem Bahnhof und sein abwesender Blick, mit dem er mir beim Ritual der ›Tradition‹ in die Augen gesehen hatte – als wären all seine Bemühungen, mir zu helfen, umsonst gewesen. Sicher hätte es Petrus gern gesehen, wenn statt des Australiers ich zum Altar gerufen worden wäre. Mein Schwert konnte durchaus in dieser verlassenen und legendenumwobenen Burg versteckt sein, denn der Ort war genau, was ich suchte: ein verlassener heiliger Ort, nur von wenigen Pilgern besucht, denen er aufgrund der Reliquien des Templerordens heilig war.

Nun, da der Australier zum Altar gerufen worden war, fühlte sich Petrus bestimmt vor den anderen gedemütigt, weil er als Führer versagt und mich nicht zu meinem Schwert geführt hatte.

Zudem hatte das Ritual der ›Tradition‹ in mir wieder die Faszination für die Kenntnisse des Okkulten aufleben lassen, die ich auf dem Jakobsweg so konsequent zu vergessen lernte. Die Anrufungen, die Kontrolle über die Materie, die Kommunikation mit anderen Welten, all das war viel interessanter als die *Praktiken der R.A.M.* Auch wenn möglicherweise gerade sie mein Leben viel direkter beeinflußten: Seit Beginn der Wanderung auf dem Jakobsweg hatte ich mich zweifellos verändert, hatte mit Petrus' Hilfe herausgefunden, daß sie mich in die Lage versetzten, Wasserfälle zu überwinden, Feinde zu besiegen und mit dem Boten über praktische, greifbare Dinge zu reden. Ich hatte das Antlitz meines Todes gesehen und miterlebt, wie die blaue Kugel der alles umfassenden Liebe die ganze Welt umhüllte. Ich war bereit, den guten Kampf zu kämpfen und mein Leben zu einer Kette von Erfolgen zu machen.

Dennoch fühlte ein verborgener Teil meines Seins Sehnsucht nach den magischen Zirkeln, den transzendentalen Formeln, dem Weihrauch und der ›heiligen Tinte‹. Was Petrus eine ›Hommage an die Alten‹ genannt hatte, war für mich ein nostalgisches Wiedereintauchen in altbekannte Lektionen gewesen, zu denen ich mich weiterhin machtvoll hingezogen fühlte. Und allein die Aussicht, daß mir der Zugang zu dieser Welt künftig versperrt sein könnte, nahm mir den Antrieb weiterzumachen.

Als ich nach dem Ritual der ›Tradition‹ zum Hotel zurückkam, lag neben meinem Schlüssel *Der Pilgerführer* in meinem Fach, ein Buch, das Petrus immer benutzt hatte, wenn die gelben Markierungen schlecht zu erkennen waren und wenn es darum ging, die Entfernung zwischen zwei

Städten abzuschätzen. Ich verließ Ponferrada noch am selben Morgen. Am Nachmittag stellte ich fest, daß die Karte nicht maßstabgetreu war: Ich mußte eine Nacht unter freiem Himmel in einem natürlichen, von einem Felsen gebildeten Unterstand verbringen.

Dort überdachte ich noch einmal alles, was seit der Begegnung mit Madame Savin geschehen war, und mir ging Petrus' beharrlicher Versuch nicht aus dem Sinn, mir klarzumachen, daß im Gegensatz zu dem, was man uns immer beigebracht hatte, die Ergebnisse das Wichtigste seien. Sich anstrengen war gesund und unerläßlich, doch die Anstrengung machte ohne Ergebnisse keinen Sinn. Das einzige Ergebnis, das ich von mir und aufgrund all dessen, was geschehen war, erhoffen konnte, war mein Schwert zu finden. Das war bislang nicht geschehen. Und es fehlten nur noch wenige Tage Fußmarsch, bis ich Santiago erreichen würde.

»Wenn Sie ein Pilger sind, kann ich Sie zum Tor der Vergebung führen.« Das Mädchen am Brunnen von Villafranca del Bierzo ließ sich nicht abwimmeln. »Wer durch dieses Tor geht, braucht nicht nach Santiago zu gehen.«

Ich hielt ihr ein paar Peseten hin, damit sie ging und mich in Frieden ließ. Doch das Mädchen begann, mit dem Wasser des Brunnens zu spielen, und machte meinen Rucksack und meine Bermudas naß.

»Kommen Sie, kommen Sie schon«, insistierte sie. Da fielen mir die Worte aus einem der Briefe des Apostels Paulus wieder ein, die Petrus ständig zitiert hatte: »Der da pflügt, soll auf Hoffnung pflügen; und der da drischt, soll auf Hoffnung dreschen, daß er seiner Hoffnung teilhaftig werde.«

Ich mußte nur noch ein wenig durchhalten. Ohne Angst vor einer Niederlage bis zum Ende suchen. Die Hoffnung nicht aufgeben, daß ich mein Schwert finden und sein Geheimnis entschlüsseln würde.

Vielleicht wollte mir dieses Mädchen ja etwas sagen, was ich mich zu verstehen weigerte. Warum sollte sich mein Schwert, wenn das Tor der Vergebung, das sich in einer Kirche befand und dieselbe spirituelle Wirkung hatte wie die Ankunft in Santiago, nicht dort befinden?

»Gut, dann laß uns gehen«, sagte ich zum Mädchen. Ich blickte auf den Berg zurück, den ich gerade heruntergestiegen war. Ich mußte wieder umkehren und ihn noch einmal besteigen. Ich war offenbar an dem Tor der Vergebung achtlos vorbeigegangen, weil mein ganzes Trachten nur darauf gerichtet war, in Santiago anzukommen. Oder aber meine Eile und meine Niedergeschlagenheit hatten mich mein Ziel übersehen lassen. Hier aber war ein Mädchen, das darauf bestand, daß ich umkehrte. Warum hatte es nicht einfach mein Geld genommen und war abgehauen?

Petrus hatte immer gesagt, daß meine Phantasie mit mir durchging. Doch vielleicht war das diesmal nicht der Fall.

Während ich dem Mädchen zum Tor der Vergebung folgte, erinnerte ich mich an die Geschichte dieses Portals. Die Kirche hatte eine Art Kompromiß mit den kranken Pilgern geschlossen, denn der Jakobsweg verlief von hier aus über Gebirgszüge nach Santiago. Im 12. Jahrhundert hatte ein Papst Pilgern, die auf dem Jakobsweg erkrankt waren und nicht mehr weiterwandern konnten, eine Art Notlösung zugestanden: Wenn sie das Tor der Vergebung durchschritten, gewährte er ihnen denselben Ablaß wie den anderen Pilgern, die den Weg zu Ende gingen. Mit diesem Trick hatte jener Papst das Problem der Berge aus der Welt geschafft und die Pilgerzüge gefördert.

Wir erklommen die gewundenen, rutschigen Wege, über die ich zuvor heruntergekommen war. Das Mädchen lief schnell wie der Blitz voraus, und ich mußte es mehrfach bitten, langsamer zu gehen, was es eine Zeitlang gutwillig tat, bis es sich wieder vergaß und erneut losrannte. Eine halbe Stunde später waren wir am Tor der Vergebung angelangt.

»Ich habe den Schlüssel zur Kirche«, sagte das Mädchen. »Ich gehe hinein und schließe Ihnen von innen auf.«

Das Mädchen verschwand durch den Haupteingang, während ich draußen wartete. Es war eine kleine Kapelle, und das Hauptportal an der Nordseite war rundum mit Kammuscheln und Szenen aus dem Leben des heiligen Jacobus geschmückt. Als ich den Schlüssel im Schloß hörte, tauchte plötzlich aus dem Nichts ein riesiger deutscher Schäferhund auf und stellte sich zwischen mich und das Portal.

Mein Körper war sofort kampfbereit. »Schon wieder«, dachte ich bei mir. »Hat diese Geschichte denn kein Ende? Ständig neue Prüfungen, Kämpfe und Demütigungen. Und keine Spur von meinem Schwert.«

Doch da öffnete sich das Tor der Vergebung, und die Kleine erschien. Als sie den Hund sah, dessen Blick sich in meine starren Augen bohrte, sagte sie ein paar zärtliche Worte zu ihm, worauf er sich sofort beruhigte und ihr schwanzwedelnd in die Kirche folgte.

Wahrscheinlich hatte Petrus recht. Meine Phantasie gaukelte mir etwas vor. Ein einfacher deutscher Schäferhund war zu etwas Bedrohlichem, Übernatürlichem geworden. Das war ein schlechtes Omen, ein Anzeichen dafür, daß Erschöpfung zur Niederlage führt.

Doch es gab noch eine Hoffnung, und erwartungsvoll folgte ich dem Mädchen durch das Tor der Vergebung und erwirkte mir somit denselben Ablaß, den die kranken Santiago-Pilger erhalten.

Meine Blicke durchstreiften die karge Kapelle auf der Suche nach dem einzigen Gegenstand, der mich interessierte.

»Dort sehen Sie die Kapitelle in Form einer Muschel, dem Symbol des Jakobsweges«, begann das Mädchen in typischem Reiseführerstil. »Dies ist die Santa Águeda aus dem...«

Mir wurde bald klar, daß ich den ganzen Weg vergebens zurückgegangen war.

»Und dies ist Jacobus, der Maurentöter, der sein Schwert gezückt hat und unter dessen Pferd die Mauren liegen, die Statue stammt aus dem...«

Da war das Schwert des heiligen Jacobus. Doch nicht meines. Ich wollte dem Mädchen ein paar Peseten geben. Doch es lehnte sie beinahe beleidigt ab und bat mich, die Kirche umgehend zu verlassen. Ihre Führung war beendet.

Ich stieg den Berg wieder hinunter und wandte meine Schritte nach Santiago de Compostela. Als ich Villafranca del Bierzo zum zweiten Mal durchquerte, sprach mich ein Mann an, der sich mit dem Namen ›Angel‹, zu deutsch Engel, vorstellte und sich erbot, mir die Kirche des San José Operario zu zeigen. Der Mann mochte einen zauberhaften

Namen haben, doch er berührte mich im Moment wenig, da ich mich gerade von einer Enttäuschung erholen mußte. Petrus hatte sich erneut als guter Menschenkenner erwiesen, denn in meiner Neigung, mir Dinge vorzustellen, die es gar nicht gibt, hatte ich wieder einmal eine der großen Lektionen übersehen, die ich direkt vor Augen hatte.

Und einzig aus diesem Grund ließ ich mich von Angel überreden mitzugehen. Doch die Kirche war verschlossen, und Angel hatte keinen Schlüssel. Wenigstens konnte er mir die Statue des heiligen Joseph mit seinem Tischlerwerkzeug über dem Portal zeigen. Zum Dank wollte ich ihm ein paar Peseten geben, doch er wies sie gekränkt zurück und ließ mich mitten auf der Straße stehen.

»Wir sind stolz auf unsere Stadt«, sagte er zum Abschied. »Wir tun dies nicht für Geld.«

Eine Viertelstunde später lag Villafranca del Bierzo mit seinen Portalen, seinen Straßen und seinen geheimnisvollen Führern, die keine Gegenleistung erwarteten, endgültig hinter mir.

Während ich durch die beschwerliche Gebirgslandschaft weiterzog, in der ich nur langsam vorankam, hing ich weiter meinen bedrückenden Gedanken nach: wie einsam ich mich fühlte, wie ich mich schämte, Petrus enttäuscht zu haben, wo wohl mein Schwert war und was für ein Geheimnis es barg. Doch ganz allmählich schoben sich die Bilder des Mädchens und Angels in den Vordergrund. Während ich die Blicke starr auf meine Belohnung gerichtet hatte, hatten sie mir, ohne eine Gegenleistung zu erwarten, ihr Bestes gegeben: ihre Liebe zu dieser Stadt. Ein etwas wirrer

Gedanke begann sich in mir zu entwickeln, eine Art Verbindungsglied zwischen all diesen Dingen. Petrus hatte immer darauf bestanden, daß die Suche nach Belohnung unbedingt notwendig sei, um zum Sieg zu gelangen. Jedesmal wenn ich den Rest der Welt vergessen und nur an mein Schwert gedacht hatte, war ich von Petrus unsanft in die Wirklichkeit zurückgeholt worden.

Das konnte kein Zufall sein, dahinter steckte bestimmt ein Plan, und darin war auch das Geheimnis meines Schwertes zu suchen. Ein Gedanke regte sich in mir und nahm allmählich Gestalt an. Er war zwar noch nicht ganz klar und deutlich, doch irgend etwas sagte mir, daß ich auf dem richtigen Weg war.

Ich war dankbar, Angel und dem Mädchen begegnet zu sein. In der Art, wie sie von den Kirchen gesprochen hatten, lag die alles verschlingende Liebe. Sie hatten mich zweimal den Weg gehen lassen, den ich mir für jenen Nachmittag vorgenommen hatte. Und darüber war die Faszination des Rituals der ›Tradition‹ verblaßt, und ich war auf spanischen Boden zurückgekehrt.

Ich erinnerte mich an einen Tag in den Pyrenäen ganz zu Beginn meiner Pilgerreise, als Petrus mir eröffnete, daß wir mehrere Tage im Kreis gegangen seien. Wie sehnte ich mich nach jenem Tag zurück. Es war ein glückhafter Anfang gewesen. Wer weiß, vielleicht war die heutige Wiederholung das Vorzeichen für ein gutes Ende?

Abends gelangte ich in ein Dorf und übernachtete bei einer alten Dame, die mich auch wieder fast umsonst verköstigte und logierte. Beim Abendessen kamen wir ins Plaudern, und sie erzählte mir von ihrem tiefen Glauben an

Jesus vom Heiligen Herzen und von ihrer einzigen Sorge, die die Olivenernte dieses Dürrejahres betraf. Ich trank den Wein, aß die Suppe und ging früh schlafen.

Der Gedanke, der allmählich in mir Gestalt annahm und bald aufbrechen würde, machte mich ruhiger. Ich betete, führte einige der Exerzitien durch, die mich Petrus gelehrt hatte, und beschloß, mit Astraín zu sprechen.

Ich mußte unbedingt mit ihm über das reden, was während meines Kampfes mit dem Hund geschehen war. Damals hatte er alles getan, um mir zu schaden, und nachdem er sich während meiner Mühen mit dem Kreuz verweigert hatte, war ich entschlossen gewesen, ihn für immer aus meinem Leben zu bannen. Doch wenn ich seine Stimme nicht erkannt hätte, wäre ich den Versuchungen erlegen, die mich während des ganzen Kampfes bestürmt hatten.

»Du hast alles getan, um der Legion zum Sieg zu verhelfen«, hielt ich ihm vor.

»Ich kämpfe nicht gegen meine Brüder«, entgegnete Astraín. Genau das war die Antwort, die ich erwartet hatte. Ich war schon vorgewarnt, und es war dumm, dem Boten gram zu sein, weil er seiner eigenen Natur folgte. Ich mußte in ihm den Gefährten suchen, der mir in Augenblicken wie diesem half. Das war seine einzige Aufgabe. Mein Groll verrauchte, und wir begannen, angeregt über den Jakobsweg, über Petrus und das Geheimnis des Schwertes zu reden, das ich in mir bereits zu fühlen begann. Er sagte mir nichts Bedeutsames, nur daß diese Geheimnisse ihm nicht zugänglich seien. Doch so hatte ich zumindest jemanden, dem ich mein Herz ausschütten konnte, nachdem ich einen ganzen Nachmittag lang geschwiegen hatte. Wir redeten bis spät in die Nacht miteinander, bis die Alte an meine Tür klopfte, um mir zu sagen, daß ich im Schlaf sprach.

Ich erwachte wohlgemut und nahm meine Wanderung früh am Morgen wieder auf. Meinen Berechnungen zufolge würde ich noch am selben Nachmittag die Provinz Galizien erreichen, deren Hauptstadt Santiago de Compostela ist. Der Weg führte stetig bergauf, und ich konnte mein normales Wandertempo nur mit Mühe beibehalten. Vor jeder Anhöhe hoffte ich, daß es auf der anderen Seite nun endlich bergab ginge. Doch es kamen immer nur noch höhere Berge, die es zu überwinden galt. Die physische Anstrengung vertrieb meine düsteren Gedanken, und ich begann, freundschaftlichere Gefühle für mich selbst zu hegen.

Verdammt, dachte ich, wer wird denn in dieser Welt überhaupt einen Menschen ernst nehmen, der alles aufgibt, um ein Schwert zu suchen? Würde es mir wirklich so viel ausmachen, wenn ich es nicht fände? Immerhin beherrsche ich inzwischen die *Praktiken der R.A.M.*, habe meinen Boten kennengelernt, mit dem Hund gekämpft und meinen Tod gesehen. Der *Jakobsweg* war wichtig für mich, und das Schwert war nur eine Folgeerscheinung. Natürlich würde ich es gern finden, aber lieber noch wollte ich herausfinden, was ich mit ihm anfangen wollte. Denn irgendeine praktische Anwendung mußte es dafür geben, ähnlich den Exerzitien, die mich Petrus gelehrt hatte.

Unvermittelt blieb ich stehen. Der Gedanke, der bislang gleichsam verschüttet gewesen war, brach hervor. Alles um mich herum wurde hell, und eine Welle von Agape durchströmte mich. Ich wünschte, Petrus wäre dagewesen, damit ich ihm sagen könnte, was er immer von mir hatte hören wollen und was die Krönung all der Lehren des Jakobsweges war: die Antwort auf die Frage nach dem Geheimnis meines Schwertes.

Im Grunde betraf dieses Geheimnis alles, was der Mensch in diesem Leben zu erringen versuchte: Wir müssen wissen, wozu wir etwas wollen, was wir damit anfangen wollen.

So hatte ich es nie gesehen. Während des ganzen Jakobsweges wollte ich immer nur herausbekommen, wo das Schwert versteckt lag. Ich hatte mich nie gefragt, warum ich es finden wollte und wozu ich es brauchte. Meine ganze Energie richtete sich auf die Belohnung, und ich begriff nicht, daß jemand, der sich etwas wünscht, genau wissen muß, wozu er sich dieses wünscht. Dies ist der einzige Grund, auf die Suche nach einer Belohnung zu gehen, und dies war das Geheimnis meines Schwertes.

Auf irgendeinem Weg mußte Petrus erfahren, daß ich das herausgefunden hatte, auch wenn ich ihn nie wiedersehen würde. Er hatte diesen Tag so sehr herbeigesehnt.

Still kniete ich nieder, riß eine Seite aus meinem Notizbuch und schrieb auf, was ich mit meinem Schwert machen wollte. Dann faltete ich das Blatt sorgfältig zusammen und legte es unter einen Stein. Die Zeit würde diese Botschaft bald zerstören, doch symbolisch hatte ich sie Petrus hiermit übermittelt.

Er wußte, daß ich mein Schwert finden würde. So war auch Petrus' Mission erfüllt.

Ich stieg weiter bergan, Agape durchströmte mich und brachte die Landschaft ringsum zum Leuchten. Jetzt, wo ich das Geheimnis gelöst hatte, mußte ich nur noch finden, was ich suchte. Jetzt glaubte ich zuversichtlich und unerschütterlich daran, es zu schaffen. Ich begann das italienische Lied zu singen, das mir Petrus auf dem Bahnhof vorgesummt hatte. Da ich die Worte nicht kannte, erfand ich einfach welche. Ich wanderte gerade durch einen dichten Wald, niemand war in der Nähe, und so sang ich ganz laut. Nach und nach ergaben die von mir erfundenen Worte einen geheimen Sinn.

Etwas Ähnliches hatte ich bei meiner ersten Begegnung mit der Legion erlebt. Damals hatte sich in mir die Gabe, in fremden Zungen zu reden, manifestiert. Ich war Diener des Heiligen Geistes gewesen, der mich benutzte, um eine Frau zu retten, einen Feind zu erschaffen, und der mich die grausame Art des guten Kampfes gelehrt hatte. Jetzt war es anders: Ich war Herr meiner selbst und lernte, mit dem Universum zu sprechen.

Ich begann, mit allen Dingen zu reden, die ich am Wegrand antraf: mit den Baumstämmen, den Wasserpfützen, den herabgefallenen Blättern und schönen Kletterpflanzen. Kinder konnten das, doch wenn sie älter wurden, vergaßen sie es. Und die Dinge antworteten mir auf geheimnisvolle Weise, als verstünden sie, was ich sagte.

Petrus hatte wieder einmal recht: Indem ich mich selbst etwas lehrte, wurde ich zum Meister.

Zur Mittagszeit machte ich keine Rast. Während ich durch die kleinen Dörfer am Wege kam, redete ich leiser, lachte in mich hinein, und wenn mich jemand dabei beobachtet haben sollte, wird er gedacht haben, daß die Pilger heutzutage verrückt in der Kathedrale von Santiago ankommen. Doch das war nicht wichtig, denn ich feierte das Leben um mich herum und wußte jetzt, was ich mit meinem Schwert tun würde, wenn ich es fand.

Den ganzen restlichen Nachmittag ging ich wie in Trance. Ich kannte mein Ziel und fühlte das vielfältige Leben, das mich umgab und das mir Agape zurückgab. Am Himmel begannen dicke Wolken aufzuziehen. Ich hoffte, es würde regnen, denn nach der langen Wanderung durch das ausgetrocknete Land würde der Regen eine Erlösung sein. Um drei Uhr nachmittags betrat ich galizischen Boden und sah auf meiner Karte, daß mich vor dem Ende dieser Etappe nur noch ein Berg erwartete. Ich beschloß, hinaufzusteigen und in Tricastela, dem ersten bewohnten Ort, durch den ich beim Abstieg kommen würde, zu übernachten. Mit Tricastela hatte vor Urzeiten ein großer König, Alfonso IX., einst seinen Traum von einer großartigen Stadt verwirklichen wollen. Heute, Jahrhunderte später, war aus dem Traum noch immer nicht mehr als ein bescheidenes Dorf geworden.

Noch immer singend und in meiner erfundenen Sprache vor mich hin redend, begann ich den Aufstieg des letzten Berges, des Cebreiro. Der Name ging auf römische Siedlungen zurück und schien auf den Monat Februar zu verweisen, in dem irgend etwas Bedeutendes geschehen sein mußte. Einst war der Paß des Cebreiro der schwierigste der Rota Jacobea, doch heute hatten sich die Dinge gewandelt. Der Aufstieg war zwar steiler als andere, doch eine riesige

Fernsehantenne auf einem benachbarten Berg diente den Pilgern als Bezugspunkt und verhinderte, daß sie vom Weg abkamen, was früher häufig vorgekommen war und oft tödlich geendet hatte.

Die Wolken senkten sich immer mehr, bald schon würde ich in den Nebel kommen. Um nach Tricastela zu gelangen, mußte ich mich genau an die gelben Markierungen halten, denn die Fernsehantenne war im Nebel verschwunden. Wenn ich mich verlief, mußte ich noch eine Nacht im Freien verbringen, was bei dem zu erwartenden Regen nicht gerade verlockend erschien. Sich Regentropfen auf das Gesicht fallen lassen, das freie Leben in vollen Zügen genießen und die Nacht an einem heimeligen Ort mit einem Glas Wein und in einem Bett beenden, in dem man sich für die Wanderung des nächsten Tages ausruht, ist eines. Etwas anderes ist es, wenn man im Schlamm liegt und einem der Regen ins Gesicht peitscht, der die Verbände aufweicht und den Schlaf raubt.

Ich mußte mich jetzt entscheiden. Entweder mußte ich weiter durch den Nebel wandern – noch war es hell genug – oder sofort umkehren, zum Übernachten ins letzte Dorf zurückkehren, durch das ich gekommen war, und die Besteigung des Cebreiro auf den nächsten Tag verschieben.

Etwas Seltsames war mit mir geschehen. Die Gewißheit, daß ich das Geheimnis meines Schwertes herausgefunden hatte, trieb mich vorwärts und in den Nebel hinauf, der mich bald ganz umgeben würde. Es war aus einem ganz anderen inneren Antrieb heraus als dem, der mich dem Mädchen zum Tor der Vergebung oder Angel zur Kirche des heiligen Joseph, dem Arbeiter, hatte folgen lassen. Ich erinnerte mich, wie ich bei den wenigen Malen, an denen ich mich bereit erklärte, einen spirituellen Kursus in Brasilien abzuhalten, die mystische Erfahrung mit dem Fahrradfahren verglichen hatte. Wir steigen aufs Fahrrad, treten auf die Pedale und fallen. Wir fahren und fallen, fahren und fallen und lernen keineswegs allmählich, das Gleichgewicht zu halten. Dennoch ist das vollkommene Gleichgewicht plötzlich da, und wir beherrschen das Gefährt vollkommen. Es gibt keine kumulative Erfahrung, sondern eine Art »Wunder«, das sich erst in dem Augenblick vollzieht, in dem das Fahrrad »uns fährt«, oder besser gesagt, wenn wir bereit sind, uns dem Gleichgewicht der beiden Räder anheimzugeben. Und indem wir uns ihm anheimgeben, benutzen wir den ursprünglichen Impuls zu fallen dazu, ihn in eine Kurve oder einen Antrieb für die Pedale zu verwandeln.

Hier nun, am Cebreiro, merkte ich, daß das Wunder geschehen war. Bisher war ich den Jakobsweg gegangen, jetzt »ging er mich«. Ich folgte dem, was man allgemein Intuition nennt. Und wegen der alles verschlingenden Liebe, die mich den ganzen Tag durchströmte, und weil ich das Geheimnis meines Schwertes entdeckt hatte und aus der Zuversicht heraus, daß der Mensch im Augenblick der Krise schon die richtige Entscheidung trifft, schritt ich furchtlos auf den Nebel zu.

»Irgendwo muß diese Wolkendecke doch aufhören«, dachte ich, während ich mich bemühte, die gelben Markierungen auf den Steinen und den Bäumen am Weg zu erkennen. Seit einer Stunde sah ich kaum die Hand vor Augen, und ich sang immer weiter, um die Angst zu vertreiben, und wartete darauf, daß etwas Außergewöhnliches geschah. Mitten im Nebel, ganz allein in dieser unwirklichen Umgebung, sah ich mich auf dem Jakobsweg noch einmal wie in einem Film in dem Augenblick, wo der Held etwas tut, was niemand tun würde, während das Publikum sich denkt, daß so etwas nur im Kino passiert. Doch ich erlebte diese Situation im wirklichen Leben. Der Wald wurde immer stiller, und der Nebel begann sich ein wenig zu lichten. Vielleicht war er ja bald zu Ende, doch er tauchte alles um mich herum in ein geheimnisvolles, fast unheimliches Licht.

Die Stille war jetzt fast vollkommen, und ich bemerkte es erst, als ich eine Frauenstimme links von mir zu hören glaubte. Ich blieb sofort stehen. Hoffte, ich würde sie wieder hören, doch es war wieder still. Ich hörte nichts, nicht einmal die üblichen Geräusche des Waldes, die Grillen, Insekten, Tiere, die auf trockene Blätter traten. Ich schaute auf die Uhr. Viertel nach fünf. Es mußten noch etwa vier Kilometer bis nach Torrestrela sein, und wenn ich mich beeilte, kam ich ohne weiteres noch vor Einbruch der Nacht dort an.

Als ich aufschaute, hörte ich wieder die Frauenstimme. Damit begann eine der wichtigsten Erfahrungen meines Lebens.

Die Stimme kam nicht von irgendwo aus dem Wald, sondern aus meinem Innern. Ich hörte sie ganz klar und deutlich. Es war weder meine Stimme noch die von Astraín. Sie sagte mir nur, ich solle weitergehen, und ich gehorchte, ohne zu zögern. Der Nebel wurde immer dünner, und vor mir auf dem steilen, rutschigen Gelände ragten ein paar vereinzelte Bäume auf.

Dann, unvermittelt, wie durch Zauberhand, löste sich der Nebel ganz auf. Und vor mir erhob sich auf dem Gipfel des Berges das Kreuz.

Ich blickte um mich, sah ein Meer von Wolken, dort, wo ich herausgetreten war, und hoch über mir ein weiteres Wolkenmeer. Zwischen diesen beiden Ozeanen lagen die Gipfel der höchsten Berge und der Gipfel des Cebreiro mit dem Kreuz. Mich überkam der Wunsch zu beten. Obwohl mir klar war, daß dies mich vom Weg nach Torrestrela abbringen würde, beschloß ich, bis zum Gipfel hinaufzusteigen und meine Gebete am Fuße des Kreuzes zu sprechen. Während des vierzigminütigen Aufstiegs war alles um mich herum und in mir still. Die Sprache, die ich erfunden hatte, war versiegt, ich brauchte sie nicht mehr, um mit Gott und den Menschen zu kommunizieren. Der Jakobsweg »ging mich«, und er würde mich zu dem Ort führen, an dem sich mein Schwert befand. Petrus hatte wieder einmal recht behalten.

Als ich oben auf dem Gipfel ankam, saß ein Mann neben dem Kreuz und schrieb. Im ersten Moment hielt ich ihn für einen Boten, eine übernatürliche Vision. Doch dann sah ich die Kammuschel auf seinem Hemd. Es war nur ein Pilger, der mich lange ansah und dann ging, weil ihn meine Gegenwart störte. Vielleicht wartete er auf dasselbe wie ich – auf einen Engel –, und beide stellten wir fest, daß der andere nur ein Mensch war. Auf dem Weg der gewöhnlichen Menschen.

Obwohl ich beten wollte, brachte ich kein Wort über die Lippen. Lange stand ich vor dem Kreuz und blickte auf die

Berge und die Wolken, die Himmel und Erde bedeckten und nur die höchsten Gipfel freigaben. Einige hundert Meter unter mir lag ein Weiler mit fünfzehn Häusern und einer kleinen erleuchteten Kirche. Jetzt wußte ich wenigstens, wo ich notfalls übernachten konnte, wenn der Jakobsweg es so vorsah. Obwohl Petrus gegangen war, war ich doch nicht führerlos: Der Weg »ging mich«.

Ein verirrtes Lamm kam den Berg herauf und stellte sich zwischen mich und das Kreuz. Es sah mich etwas erschreckt an. Lange blickte ich zum dunklen Himmel empor, zum Kreuz und dem weißen Lamm zu seinen Füßen. Auf einmal spürte ich, wie müde ich von den ganzen Prüfungen, den Kämpfen, Lektionen und den Märschen war. Ein fürchterlicher Schmerz durchfuhr meinen Magen, kroch in die Kehle hinauf und machte sich in einem trockenen, tränenlosen Schluchzen Luft – vor diesem Kreuz, das ich nicht aufrichten mußte, weil es einsam und hoheitsvoll vor mir stand und dem Wetter trotzte. Es versinnbildlichte das Schicksal, das der Mensch nicht seinem Gott, sondern sich selbst auferlegt.

»Herr«, konnte ich endlich beten. »Ich bin nicht an dieses Kreuz geschlagen, und auch Dich sehe ich dort nicht. Das Kreuz ist leer und soll es für immer bleiben, weil die Zeit des Todes vorüber ist und jetzt in mir ein Gott aufersteht. Dieses Kreuz war das Symbol für die unendliche Macht, die wir alle besitzen, die wir aber ans Kreuz geschlagen und getötet haben. Jetzt wird diese Macht wiedergeboren, die Welt ist gerettet, und ich bin fähig, ihre Wunder zu vollbringen. Denn ich bin den Weg der gewöhnlichen Leute gegangen, in ihnen habe ich Dein Geheimnis entdeckt.

Auch Du bist den Weg der gewöhnlichen Menschen gegangen. Du hast uns gezeigt, wozu wir fähig sein könnten, wenn wir nur wollten, aber wir wollten nicht. Du hast uns gezeigt, daß die Macht und die Glorie für uns alle erreichbar ist, doch diese unvermittelte Vision unserer eigenen Möglichkeiten war zuviel für uns. Wir haben Dich nicht gekreuzigt, weil wir dem Sohn Gottes undankbar waren, sondern weil wir uns davor fürchteten, unsere eigenen Fähigkeiten anzuwenden. Wir haben Dich gekreuzigt, weil wir Angst hatten, zu Göttern zu werden. Mit der Zeit und mit der Überlieferung wurdest Du wieder zu einer fernen Gottheit, und wir kehrten zu unserem Schicksal als Menschen zurück. Es ist keine Sünde, glücklich zu sein. Ein halbes Dutzend Exerzitien und ein offenes Ohr reichen, damit es einem Menschen gelingt, seine unmöglichsten Träume zu verwirklichen. Weil ich stolz auf meine Kenntnisse war, hast Du mich den Weg gehen lassen, den alle gehen können, und mich entdecken lassen, was alle wissen könnten, wenn sie dem Leben mehr Beachtung schenken würden. Du hast mich sehen lassen, daß die Suche nach Glück eine ganz persönliche Suche ist und es kein Rezept gibt, das wir an andere weitergeben könnten. Bevor ich mein Schwert finde, mußte ich sein Geheimnis entdecken. Und es war so einfach, es geht nur darum zu wissen, was man mit ihm tun will. Mit ihm und dem Glück, das es für mich bedeuten wird.

Ich bin viele Kilometer gewandert, um Dinge herauszufinden, die ich bereits wußte, die wir alle wissen, aber die so schwer anzunehmen sind. Gibt es etwas Schwierigeres für den Menschen, Herr, als herauszufinden, daß er die Macht erreichen kann? Diesen Schmerz, den ich jetzt in meiner

Brust fühle und der mich schluchzen läßt und das Lamm erschreckt, gibt es, seit es Menschen gibt. Nur wenige nehmen die Last des eigenen Sieges auf sich: Die meisten geben ihre Träume auf, wenn sie sich als erfüllbar erweisen. Sie weigern sich, den guten Kampf zu kämpfen, weil sie nicht wissen, was sie mit dem eigenen Glück anfangen sollen. So wie ich mein Schwert finden wollte, ohne zu wissen, was ich damit anfangen wollte.«

Ein Gott erwachte in mir, und der Schmerz wurde immer stärker. Ich spürte, daß mein Meister in der Nähe war, und endlich konnte ich auch weinen. Ich weinte aus Dankbarkeit dafür, daß mein Meister mich auf den Jakobsweg geschickt hatte, um mein Schwert zu suchen. Ich weinte aus Dankbarkeit gegenüber Petrus, weil er mich gelehrt hatte, daß sich meine Träume erfüllen ließen, wenn ich erst einmal herausgefunden hatte, was ich damit anfangen wollte. Ich sah das leere Kreuz und das Lamm zu seinen Füßen.

Das Lamm erhob sich, und ich folgte ihm. Es wußte, wohin es mich bringen sollte, denn die Welt war trotz der Wolken für mich durchsichtig geworden. Auch wenn ich die Milchstraße am Himmel nicht sehen konnte, so war ich doch sicher, daß es sie gab und sie allen den Jakobsweg zeigte. Ich folgte dem Lamm, das auf den kleinen Ort zuging, der Cebreiro heißt wie der Berg.

Dort war irgendwann ein Wunder geschehen. Ein Bauer war an einem stürmischen Tag aus einem nahegelegenen Dorf heraufgewandert, um in Cebreiro die Messe zu hören. Diese Messe wurde von einem Mönch gelesen, dem der

Glaube beinahe abhanden gekommen war und der die Anstrengungen des Bauern geringschätzte. Doch bei der heiligen Kommunion verwandelte sich die Hostie in das Fleisch Christi und der Wein in sein Blut. Die Reliquien, ein Schatz, der größer ist als aller Reichtum des Vatikans, werden noch immer dort in der kleinen Kapelle aufgehoben.

Das Lamm blieb am Eingang des Ortes stehen. Es gab nur eine einzige Straße, und die führte direkt zur Kirche. In diesem Augenblick erfaßte mich eine ungeheure Angst, und ich stammelte ein ums andere Mal: »Herr, ich bin nicht würdig, Dein Haus zu betreten.« Doch das Lamm sah mich an und gab mir mit seinen Blicken zu verstehen, ich müsse meine Unwürdigkeit vergessen, weil die Macht in mir wiedergeboren würde, so wie sie in jedem Menschen wiedergeboren werden kann, der sein Leben in einen guten Kampf verwandelt. »Der Tag wird kommen«, sagten mir die Blicke des Lammes, »an dem der Mensch wieder stolz auf sich selber sein kann, und dann wird die ganze Natur das Erwachen des göttlichen Geistes preisen.«

Das Lamm war jetzt mein Führer auf dem Jakobsweg. Für einen Moment wurde alles dunkel um mich, und ich begann Szenen zu sehen, die denen glichen, wie ich sie in der Apokalypse gelesen hatte: Das Große Lamm auf seinem Thron, Menschen, die ihre Kleider im Blut des Lammes reinwuschen. Es war das Erwachen des Gottes in jedem. Ich sah auch Kämpfe, schwierige Zeiten, Katastrophen, die die Erde in den kommenden Jahren erschüttern würden. Doch alles endete mit dem Sieg des Lammes und mit dem Erwachen des schlafenden Gottes und seiner Macht auf Erden.

Da erhob ich mich und folgte dem Lamm bis zur kleinen Kapelle, die von dem Bauern und von dem Mönch gebaut worden war, der am Ende das glaubte, was er tat. Niemand kennt ihre Namen. Zwei nebeneinanderliegende Grabsteine bezeichnen den Ort, an dem ihre Gebeine begraben sind. Und niemand kann sagen, welches das Grab des Mönches und welches das des Bauern ist. Damit das Wunder geschehen konnte, mußten beide Mächte den guten Kampf kämpfen.

Die Kapelle war hell erleuchtet, als ich an ihrer Tür ankam. Ja, ich war würdig einzutreten, denn ich hatte ein Schwert und wußte, was ich mit ihm anfangen würde. Es war nicht das Tor der Vergebung, denn mir war schon vergeben worden, ich hatte meine Kleider im Blut des Lammes gewaschen. Jetzt wollte ich nur noch das Schwert ergreifen und hinausgehen, um den guten Kampf zu kämpfen.

In dem kleinen Gebäude gab es kein Kreuz. Auf dem Altar standen die Reliquien des Wunders: der Kelch und der Hostienteller, die ich während des Tanzes gesehen hatte, und ein Reliquienschrein mit dem Fleisch und dem Blut Christi. Ich konnte wieder an Wunder und an das Unmögliche glauben, was der Mensch in seinem Alltag vollbringen kann. Die hohen Gipfel, die mich umgaben, schienen mir zu sagen, daß sie nur dort waren, um den Menschen herauszufordern. Und daß der Mensch nur dazu geboren wurde, um die Ehre dieser Herausforderung anzunehmen.

Das Lamm verschwand zwischen den Bänken, und ich blickte nach vorn. Vor dem Altar stand lächelnd – und vielleicht ein wenig erleichtert – mein Meister. Mit meinem Schwert in der Hand.

Ich blieb stehen, und er kam auf mich zu, ging an mir vorbei ins Freie. Ich folgte ihm. Vor der Kapelle zog er, während er in den dunklen Himmel blickte, das Schwert aus der Scheide und bat mich, den Griff gemeinsam mit ihm zu halten. Er richtete das Schwert in die Höhe und sprach den heiligen Psalm derer, die reisen und kämpfen, um zu siegen.

> Ob tausend fallen zu deiner Seite und zehntausend
>   zu deiner Rechten,
> so wird es doch dich nicht treffen.
> Es wird dir kein Übel begegnen, und keine Plage
> wird zu deiner Hütte sich nahen.

Da kniete ich nieder, und er berührte mit der Klinge meine Schulter und sprach:

> Denn Er hat Seinen Engeln befohlen über dir,
> daß sie dich behüten auf allen deinen Wegen.
> Auf Löwen und Ottern wirst du gehen,
> und treten auf junge Löwen und Drachen.

Als er das gesagt hatte, begann es zu regnen. Es regnete, und die Erde wurde fruchtbar, und dieses Wasser würde erst wieder zum Himmel zurückkehren, wenn es einen Samen hatte keimen, einen Baum hatte wachsen und eine Blume sich hatte öffnen lassen. Es regnete immer stärker, und ich kniete mit erhobenem Haupt da, fühlte zum ersten Mal auf dem ganzen Jakobsweg das Wasser, das vom Himmel kam. Ich erinnerte mich an die verlassenen Felder und war glücklich, daß sie in dieser Nacht benetzt wurden. Ich erinnerte mich an die Steine von León, die Weizenfelder von Navarra, die Trockenheit von Kastilien, die Weinberge von Rioja, die heute das Wasser tranken, das in Sturzbächen herunterkam und die Kraft des Himmels mit sich brachte. Ich erinnerte mich daran, daß ich ein Kreuz aufgerichtet hatte, das durch das Unwetter wieder umstürzen würde, damit ein anderer Pilger das Befehlen und Dienen lernte. Ich dachte an den Wasserfall, der jetzt mit dem Regenwasser anschwoll, und an Foncebadón, wo ich den Boden mit so viel Macht erneut befruchtet hatte. Ich dachte an all das Wasser, das ich aus so vielen Brunnen getrunken hatte und das ihnen jetzt wieder zurückgegeben wurde. Ich war meines Schwertes würdig, weil ich wußte, was ich mit ihm tun würde.

Der Meister reichte mir das Schwert, und ich ergriff es. Ich suchte mit dem Blick das Lamm, aber es war verschwunden. Doch das war jetzt nicht wichtig. Das lebendige Wasser kam vom Himmel herunter und ließ die Klinge meines Schwertes glänzen.

Epilog: Santiago de Compostela

Vom Fenster meines Hotelzimmers aus kann ich die Kathedrale von Santiago und einige Touristen sehen, die am Hauptportal stehen. Studenten in mittelalterlichen schwarzen Gewändern spazieren zwischen den Passanten herum, während die Souvenirhändler ihre Stände aufbauen. Es ist noch früh am Morgen, und außer meinen Aufzeichnungen sind dies die ersten Zeilen, die ich über den Jakobsweg schreibe.

Ich bin gestern mit dem Bus in der Stadt angekommen, der zwischen Pedreafita, das in der Nähe von Cebreiro liegt, und Compostela verkehrt. Wir haben vier Stunden für die 150 Kilometer gebraucht, die die beiden Städte voneinander trennen, und ich erinnerte mich dabei an meine Wanderung mit Petrus. Manchmal hatten wir zwei Wochen gebraucht, um die gleiche Strecke zurückzulegen. Bald werde ich zum Grab des heiligen Jacobus gehen und die auf die Jakobsmuscheln montierte Statue der Heiligen Jungfrau von Aparecida dort niederlegen. Anschließend werde ich so bald wie möglich zurück nach Brasilien fliegen, denn ich habe viel zu tun. Ich erinnere mich daran, wie Petrus einmal gesagt hat, daß er seine Erfahrungen in einem Bild zusammengefaßt hat, und mir kam der Gedanke, ein Buch über meine Erlebnisse zu schreiben. Doch das ist nur so eine Idee. Jetzt, wo ich mein Schwert wiederbekommen habe, gibt es viel zu tun.

Das Geheimnis meines Schwertes gehört allein mir, und ich werde es niemals enthüllen. Ich habe es aufgeschrieben und unter einen Stein gelegt. Doch der Regen wird das Stück Papier längst zerstört haben. Es ist besser so. Petrus brauchte es nicht zu wissen.

Ich hatte den Meister gefragt, ob er das genaue Datum meiner Ankunft gewußt und ob er schon lange dort gewartet habe. Er lachte und meinte, er sei am Vortag eingetroffen und wäre am nächsten Tag wieder abgereist, wenn ich nicht gekommen wäre.

Ich fragte ihn, wie das möglich sei. Er gab keine Antwort. Doch als wir uns verabschiedeten und er bereits im Mietwagen saß, der ihn zurück nach Madrid bringen würde, verlieh er mir eine kleine Komturei des Ordens des heiligen Jacobus vom Schwert und meinte, ich hätte eine große Enthüllung erlebt, als ich dem Lamm tief in die Augen geblickt hatte. Wenn ich mich weiter so bemühte wie bisher, würde ich vielleicht eines Tages verstehen, daß die Menschen immer pünktlich an dem Ort ankommen, an dem sie erwartet werden.

Europäische Wege
nach
Santiago de Compostela

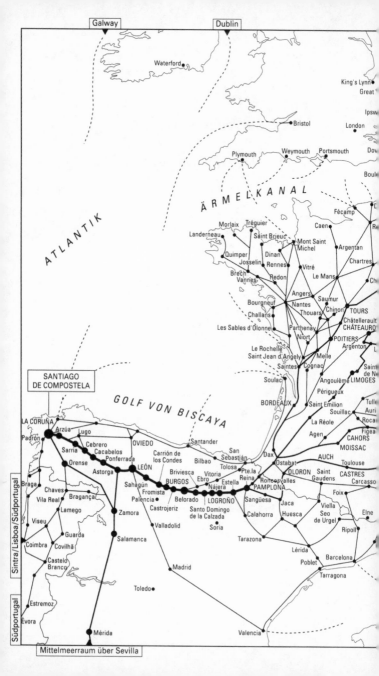

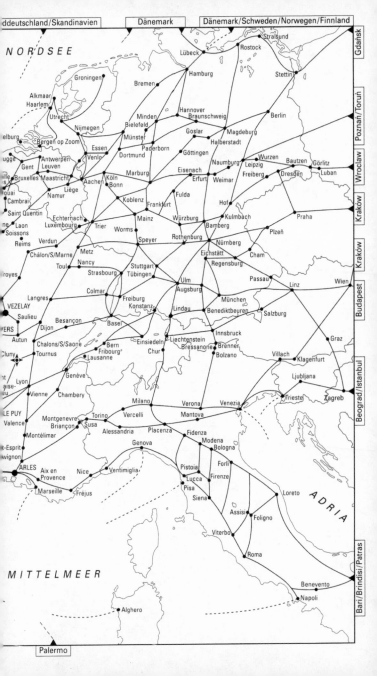

Paulo Coelho
im Diogenes Verlag

»Coelho ist Literatur für Menschen, die zwischen den Buchdeckeln eher Wärme suchen als Aufregung, die sich vom Sog jener einfachen Weisheiten mitreißen lassen, die auch Bücher wie Jostein Gaarders *Sofies Welt* oder Susanna Tamaros *Geh, wohin dein Herz dich trägt* so erfolgreich gemacht haben. Literatur als Lebenshilfe, als Zauber des Wesentlichen.«
Norddeutscher Rundfunk, Hamburg

Der Alchimist
Roman. Aus dem Brasilianischen von Cordula Swoboda Herzog

Am Ufer des Rio Piedra saß ich und weinte
Roman. Deutsch von Maralde Meyer-Minnemann

Der Fünfte Berg
Roman. Deutsch von Maralde Meyer-Minnemann

Auf dem Jakobsweg
Tagebuch einer Pilgerreise nach Santiago de Compostela. Deutsch von Maralde Meyer-Minnemann

Veronika beschließt zu sterben
Roman. Deutsch von Maralde Meyer-Minnemann

Handbuch des Kriegers des Lichts
Deutsch von Maralde Meyer-Minnemann

Der Dämon und Fräulein Prym
Roman. Deutsch von Maralde Meyer-Minnemann

Elf Minuten
Roman. Deutsch von Maralde Meyer-Minnemann

Unterwegs – Der Wanderer
Gesammelte Geschichten. Ausgewählt von Anna von Planta. Deutsch von Maralde Meyer-Minnemann

Der Zahir
Roman. Deutsch von Maralde Meyer-Minnemann
Auch als Diogenes Hörbuch erschienen, gelesen von Christian Brückner

Sei wie ein Fluß, der still die Nacht durchströmt
Neue Geschichten und Gedanken 1998–2005. Deutsch von Maralde Meyer-Minnemann
Auch als Diogenes Hörbuch erschienen, gelesen von Gert Heidenreich

Außerdem erschienen:
Bekenntnisse eines Suchenden
Juan Arias im Gespräch mit Paulo Coelho. Aus dem Spanischen von Maralde Meyer-Minnemann

Paulo Coelho
Der Alchimist

Roman. Aus dem Brasilianischen
von Cordula Swoboda Herzog

Santiago, ein andalusischer Hirte, hat einen wieder-
kehrenden Traum: Am Fuß der Pyramiden liege ein
Schatz für ihn bereit. Soll er das Vertraute für möglichen Reichtum aufgeben? War er nicht zufrieden mit
seiner bescheidenen Existenz? Santiago ist mutig genug, seinen Traum nicht einfach beiseite zu wischen.
Er wagt sich hinaus und begibt sich auf eine Reise, die
ihn nicht nur von den Souks in Tanger über Palmen
und Oasen bis nach Ägypten führt, er findet in der
Stille der Wüste auch immer mehr zu sich selbst und
erkennt, was das Leben für Schätze bereithält, die
nicht einmal mit Gold aufzuwiegen sind.
Der Alchimist ist ein Buch voll orientalischer Weisheit, eine Geschichte von wunderbarer Schlichtheit
und kristalliner Klarheit, ein warmes, lebensfrohes
Buch, das Mut macht, den eigenen Lebenstraum
Wirklichkeit werden zu lassen.

»Die Geschichte einer Selbstwerdung, die bleiernen
Alltag in das Gold der Träume zu verwandeln ver-
mag.« *L'Express, Paris*

»Von Voltaires Candide hat Santiago die Gutgläubig-
keit, von Saint-Exupérys kleinem Prinzen die Fähigkeit, mit dem Herzen zu begreifen… *Der Alchimist*
ist eine Reise zur Weltenseele… ein glückbringender
Wegweiser.« *Frankfurter Allgemeine Zeitung*

»Ein Buch voller Poesie.«
Welt am Sonntag, Hamburg